THOUTMOSIS

Violaine Vanoyeke a consacré une trilogie à « la pharaonne » Hatchepsout.

LA PHARAONNE

   * *La Princesse de Thèbes*
  ** *Le Pschent royal*
 *** *Le Voyage d'éternité*

Cet ouvrage est le troisième tome de la trilogie romanesque de Violaine Vanoyeke consacrée au pharaon Thoutmosis III.

THOUTMOSIS

   * *Le Rival d'Hatchepsout* (déjà paru)
  ** *L'Ibis indomptable* (déjà paru)
 *** *Au royaume du Sublime*

© Éditions Michel Lafon, 2000
7-13, boulevard Paul-Émile-Victor – Île de la Jatte
92521 Neuilly-sur-Seine Cedex

VIOLAINE VANOYEKE

THOUTMOSIS

*****

Au royaume du Sublime

ROMAN

DU MÊME AUTEUR

L'Art aux yeux pers, Le Cherche-Midi, 1980, *poésie*. Prix Jean Christophe.

Torrent, R.E.M., Lyon, 1983, *poésie*. Album avec interprétation au piano de Violaine Vanoyeke.

L'Harmonie et les arts en poésie, Monaco, 1985, *anthologie*.

Le Mythe en poésie, Monaco, 1986, *anthologie*.

Cœur Chromatique, R.E.M., Lyon, 1986, *poésie*. Album avec accompagnement musical interprété au piano par Violaine Vanoyeke. Interprétations des textes avec Dominique Paturel.

Clair de Symphonie, J. Picollec, 1987, *roman*.

Messaline, Robert Laffont, 1988, *roman*. Traduit en espagnol, portugais, grec, coréen, bulgare, polonais...

Le Druide, Sand, 1989, *roman*.

Au bord du Douro, Lizier, Luxembourg, 1989, *poésie*.

Les Louves du Capitole, Robert Laffont, 1990, *roman*. Prix littéraire de l'été 1990. Traduit en espagnol, portugais...

La Prostitution en Grèce et à Rome, Belles Lettres, 1990, *histoire*. Traduit en espagnol, en grec, en japonais, en tchèque...

Le Crottin du diable, Denoël, 1991, *roman*. Prix de l'Association de l'assurance et des banques, 1992.

Les Bonaparte, Critérion, 1991, *histoire*.

La Naissance des jeux Olympiques et le sport dans l'Antiquité, Belles Lettres, 1992, *histoire*.

Les Grandes Heures de la Grèce antique, Perrin, 1992, *histoire*. Repris au Grand Livre du Mois.

Les Sévères, Critérion, 1993, *histoire*.

DU MÊME AUTEUR (suite)

Les Schuller, Presses de la Cité, 1994-1995, *romans* :
* *Les Schuller*, Presses de la Cité, 1994.
** *Le Serment des Quatre Rivières*, Presses de la Cité, 1995.

Hannibal, France-Empire, 1995, *histoire/biographie*.
Paul Éluard, le poète de la liberté, Julliard, 1995, *histoire/ biographie*.

Le Secret du pharaon (série), L'Archipel, *romans* :
* *Le Secret du Pharaon*, L'Archipel, 1996. Traduit en espagnol, portugais, catalan, tchèque, slovaque... Repris au Grand Livre du Mois (1996), par Succès du Livre (1997), à Presses Pocket (1997), Le Chardon bleu (1997).
** *Une mystérieuse Égyptienne*, L'Archipel, 1997, *roman*. Traduit en espagnol, tchèque, portugais... Repris par Succès du Livre (1998), à Presses Pocket (1999), Le Chardon bleu (1999).
*** *Le Trésor de la reine-cobra*, L'Archipel, 1999. Repris par Succès du Livre, Presses Pocket (1999).

Quand les athlètes étaient des dieux, Les jeux Olympiques de l'Antiquité, Fleurus, Collection « Encyclopédie Fleurus », 1996, *ouvrage pour la jeunesse*.
Périclès, Tallandier, 1997, *histoire/biographie*. Traduit en portugais, espagnol... Repris au Grand Livre du Mois (1997).

Les Histoires d'amour des pharaons (série), Michel Lafon :
* *Les Histoires d'amour des pharaons : Néfertiti et Akhenaton ; Ramsès II et Néfertari ; Tyi et Ramsès III ; César et Cléopâtre ; Antoine et Cléopâtre*, Michel Lafon, 1997. Traduit en italien, espagnol, turc, portugais... Repris au Grand Livre du Mois (1997), au Succès du Livre (1999), au Livre de Poche (1999).
** *Les Histoires d'amour des pharaons II : Ahmosis et Ahmès-Néfertari ; Tiâa et Aménophis II ; Tout-Ankh-Amon et Ankhsepaton ; Séthi II et Taousert*, Michel Lafon, 1999. Traduit en espagnol, portugais... Repris au Livre de Poche (2000).

La Passionnée, Michel Lafon, 1997, *roman*. Traduit en espagnol...
De la prostitution en Alsace (collectif), Le Verger, 1997, *histoire*.

La Pharaonne Hatchepsout (trilogie), Michel Lafon, *romans* :
  * *La Princesse de Thèbes*, Michel Lafon, 1998. Nouvelle édition, 1999. Repris au Livre de Poche.
  ** *Le Pschent royal*, Michel Lafon, 1998. Nouvelle édition, 1999. Repris au Livre de Poche.
  *** *Le Voyage d'éternité*, Michel Lafon, 1999. Traduit en portugais, espagnol, italien... Repris au Livre de Poche (2000).

Les Dynasties pharaoniques (série), Tallandier, *histoire* :
  * *Les Ptolémées, derniers pharaons d'Égypte*, Tallandier, 1998. Traduit en espagnol, portugais...

Thoutmosis (trilogie), Michel Lafon, *romans* :
  * *Le Rival d'Hatchepsout*, Michel Lafon, 2000. Repris au Grand Livre du Mois, au Livre de Poche (2001).
  ** *L'Ibis indomptable*, Michel Lafon, 2000. Repris au Grand Livre du Mois, au Livre de Poche (2001).

Discographie

Bach, Beethoven, Debussy, Chopin, R.E.M., Lyon, Violaine Vanoyeke, piano.
Chopin, Debussy, Schumann, R.E.M., Lyon, Violaine Vanoyeke, piano.

Violaine Vanoyeke est l'auteur de nombreuses préfaces et articles parus dans *Historia, Chroniques de l'Histoire, Le Spectacle du monde, Le Quotidien de Paris, L'Histoire, Science et Vie, France-Soir, Géo*.

À mon père

« *Ton fils Menkheperrê a réalisé des merveilles, Amon, il a agrandi et orné le temple de son père. Qu'il se régénère ; qu'il soit encouragé pour qu'il règne, joyeux, avec Rê pour l'Éternité.* »

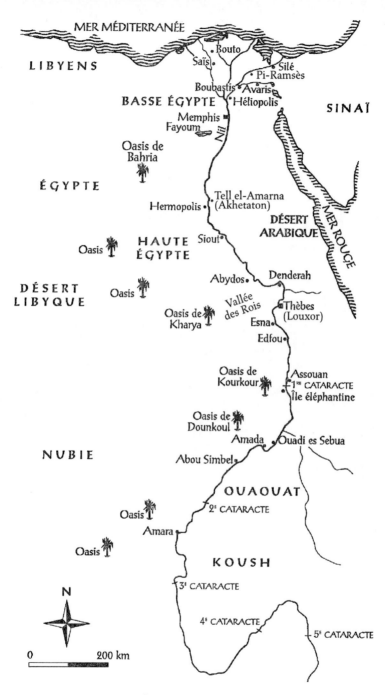

L'Égypte et la Nubie

La Grèce antique et l'Asie.

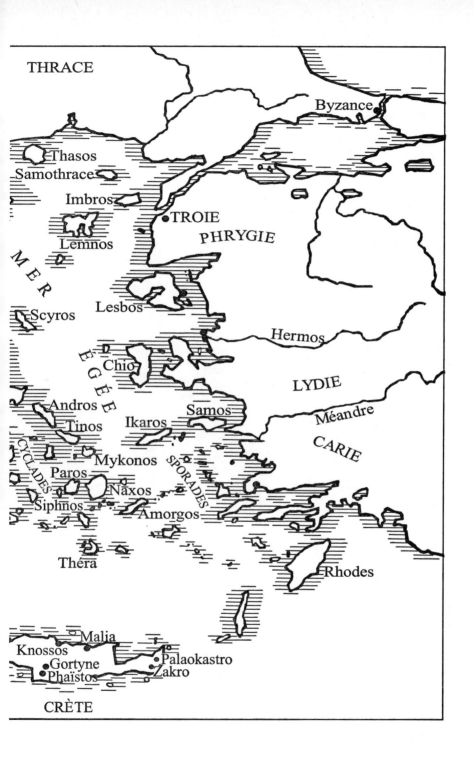

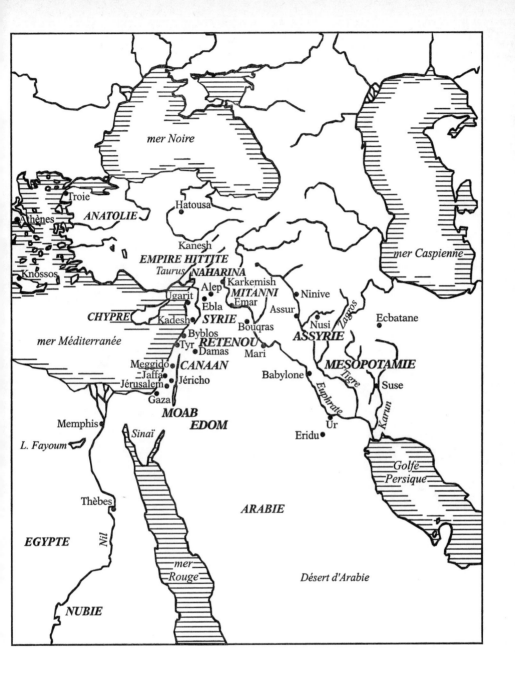

Anciens pays du Proche-Orient (XVe siècle av. J.-C.)

Résumé des livres précédents

THOUTMOSIS

tome 1

La pharaonne Hatchepsout qui a régné pendant vingt-deux ans sur l'Égypte a disparu. Thoutmosis III s'installe sur le trône et épouse la deuxième fille d'Hatchepsout, Méryrêt-Hatchepsout II, qui a toujours été mise à l'écart par sa mère.

Le couple royal a une vengeance à prendre sur le destin, Thoutmosis III parce qu'il a été évincé par Hatchepsout alors que le pouvoir lui revenait à la mort de son père Thoutmosis II, Méryrêt parce qu'elle s'est vu préférer pendant toute son enfance sa sœur Néférou-Rê.

Thoutmosis III songe à faire construire des monuments qui surpasseront tous ceux élevés par ses prédécesseurs. Mais l'Égypte est menacée par de nombreux envahisseurs qui se coalisent contre le pharaon.

Aussi brillant que son grand-père Thoutmosis Ier, Thoutmosis III part en campagne sans savoir si la reine-pharaon Hatchepsout est encore en vie. Il fait le siège de Meggido et remporte des victoires mémorables.

Après avoir provisoirement repoussé les ennemis de l'Égypte, le roi doit affirmer sa puissance à la cour de Thèbes. Le mystère de la disparition d'Hatchepsout est enfin élucidé. Certaines femmes du harem, comme la belle Mitannienne Kertari ou Sobek, la fille de la nourrice du roi, donnent un héritier à Pharaon et entrent en rivalité.

Thoutmosis III nomme conseillers plusieurs Mitanniens qu'il a ramenés de ses campagnes militaires. Mais quelques-uns semblent détenir un secret d'État dont va dépendre la vie de Pharaon.

tome 2

L'une des Mitanniennes que Thoutmosis a fait venir d'Asie se nomme Thémis. Elle a autrefois appartenu au harem du pharaon Aménophis Ier et trahi le roi en complotant contre sa vie. Parce que Thoutmosis III choisit son fils Amenpafer et son ami Ishtariou comme conseillers, Thémis met tout en œuvre pour détruire les traces du procès qui l'obligea à fuir au Mitanni avec son époux.

Parallèlement, la Grande Épouse royale Méryrêt-

Hatchepsout II, qui soupçonne Thémis et sa fille Sheribu de cacher des faits au roi, ordonne une enquête sur cette étrange famille.

Thoutmosis ne songe qu'à conquérir l'Asie et à traverser l'Euphrate pour vaincre le peuple mitannien. Il multiplie aussi les expéditions. Pendant l'une d'entre elles organisée aux mines de turquoise du Sinaï, Amenpafer apprend par hasard qu'il n'est pas le fils d'un Égyptien mais celui de l'ancien chef mitannien. Quant à Ishtariou, il se révèle hostile à Thoutmosis et décide de prendre le parti du Mitanni où il a été élevé.

Quand Thoutmosis reprend ses campagnes et commence à multiplier les victoires asiatiques dans les régions du Retenou et du Naharina, Ishtariou a rejoint les rangs ennemis. Sheribu semble le soutenir. Lui révélera-t-elle les plans de Thoutmosis dont la puissance s'affirme avec la naissance d'un héritier ?

Avant-propos

La XVIIIe dynastie commence avec le pharaon Ahmosis. Ce roi s'illustra en repoussant des envahisseurs venus du Nord, appelés « Hyksos », qui régnèrent en Égypte. Les Indo-Européens s'installaient alors en Asie Mineure.

Aménophis Ier, fils d'Ahmosis et d'Ahmès-Néfertari, et son gendre Thoutmosis Ier surent protéger le territoire de leur ancêtre.

Thoutmosis Ier fut un général exceptionnel. Il eut avec sa première épouse un fils qui fut appelé Thoutmosis II. Marié à sa demi-sœur Hatchepsout, seule héritière de sang royal, Thoutmosis II n'exerça le pouvoir que peu de temps. Il eut une fille avec Hatchepsout : Néférou-Rê. Celle-ci semble morte très jeune bien qu'une inscription fasse peut-être allusion à elle à une époque où Thoutmosis III régnait seul et où Hatchepsout avait disparu. Sans doute Thoutmosis II et Hatchepsout eurent-ils une seconde fille appelée Méryrêt-Hatchepsout II.

Cette dernière se maria avec Thoutmosis, troisième du nom, fils de Thoutmosis II et d'une fille du harem, Iset.

Thoutmosis III devint pharaon à la mort de son père Thoutmosis II. Hatchepsout, qui devait assurer la régence, s'imposa comme Pharaon à part entière dans la septième année du règne. Elle régna pendant vingt-deux ans, laissant son neveu Thoutmosis III à l'écart. S'entourant de fonctionnaires et de prêtres dévoués à sa personne, organisant des expéditions dans les pays les plus lointains, combattant elle-même les Nubiens, restaurant les temples en ruine, elle sut s'affirmer dans une Égypte prospère[1].

Mais les peuples d'Asie devenaient menaçants. Formé à la guerre, courageux comme son grand-père Thoutmosis Ier, Thoutmosis III allait devenir le sauveur de l'Égypte, le plus grand pharaon de tous les temps, celui qui passerait l'Euphrate pour imposer de nouveau la puissance de l'Égypte en Asie.

Son épopée demeure exceptionnelle. Après avoir vécu dans l'ombre d'Hatchepsout, la pharaonne fille d'Amon, Thoutmosis III devait briller au firmament de l'Histoire.

Violaine VANOYEKE
Winter Palace, Louxor

---

1. Voir *La Pharaonne*, Violaine Vanoyeke, éditions Michel Lafon, 1999.

I

Les jardins, embaumant de senteurs la fertile vallée qui longeait le littoral asiatique, excitaient les esprits des soldats égyptiens. Après leur victoire facile dans le port d'Arvad face à des adversaires acharnés mais inférieurs, ils prenaient plaisir à partager les journées de quelques autochtones peu farouches.

Thoutmosis III se félicitait d'avoir écouté les conseils d'Amenpafer, heureux de prolonger ce séjour militaire dans une région proche de celle où il avait grandi. Même s'il avait passé sa jeunesse de l'autre côté de l'Euphrate, dans le pays du Mitanni, Amenpafer se sentait plus proche des Asiatiques que des Égyptiens. N'était-il pas le fils de l'ancien chef du Mitanni ?

– Dois-je ajouter foi aux paroles de mon ami Isthariou ? murmura-t-il en se laissant masser les épaules par une femme nue aux gestes doux et sensuels.

Il la regarda tendrement avec un sourire narquois au coin des lèvres.

– Tu ne comprends pas ce que je dis mais tu me souris constamment. Sans doute mes traits te plaisent-ils ?

Il s'étendit sur l'herbe haute aux odeurs printanières

encore humide d'aube et se laissa embrasser par cette jeune fille, soumise pour quelques perles.

Tout en observant son éternel sourire et ses yeux candides aux flammes étranges, il songea à Sheribu.

– Sheribu n'est donc que ma demi-sœur. Nous avons la même mère mais notre père porte un nom différent.

Amenpafer ferma les yeux pour tenter de se souvenir du chef mitannien. Il était de petite taille. Son visage, sec et intransigeant, restait impassible aux mauvaises nouvelles. Calme, réfléchi, bon soldat, il s'était imposé dans la région mitannienne avec cruauté, chassant les anciens habitants jusqu'à Babylone.

– Se peut-il que je sois le fils de ce chef intelligent mais impitoyable qui a donné l'ordre de tuer l'époux de ma mère Thémis ? L'a-t-il condamné à mort parce qu'il se sentait trahi ? Mon véritable père serait donc le bourreau du père de Sheribu que je chéris tant !

Amenpafer se demandait aussi ce que complotait Ishtariou. Tous les Égyptiens croyaient l'ancien conseiller de pharaon mort au Sinaï pendant une expédition malheureuse. Amenpafer venait de découvrir qu'il avait en fait rejoint les rangs des ennemis de l'Égypte et qu'il l'encourageait à faire de même. Sheribu prenait ardemment le parti d'Ishtariou.

– Si nous trahissons ouvertement Pharaon, une terrible vengeance s'abattra sur notre mère Thémis qui est restée à Thèbes, réfléchit à voix haute Amenpafer. Jamais Thoutmosis ne supportera une telle trahison ! Et pourtant, il me coûte tant de lutter contre ces Asiatiques si proches de nous, qui vénèrent le dieu Shamash. Combattre dans cette plaine chère à mon cœur me bouleverse.

– De quoi parles-tu, beau guerrier ? lui dit la jeune Asiatique en s'étirant sur le sol nappé de fleurs.

Amenpafer parut contrarié. Les bûcherons venaient de reprendre leur travail.

– Quel dommage de couper ces arbres fruitiers, dit la jeune femme. Ils donnent la vie et sont symboles de régénération. Les dieux favorisent la naissance et la force. Thoutmosis commet une faute en agissant ainsi.

Même s'il approuvait les sages paroles de l'Asiatique, Amenpafer n'avait pas réussi à raisonner Thoutmosis. Le pharaon avait ordonné de couper tous les arbres de la région d'Arvad.

– Que préfères-tu ? lui avait-il demandé. Voir mourir les habitants de cette belle région ou assister à la disparition totale de ces vergers ?

– En coupant ces arbres, tu détruis les hommes, avait répondu Amenpafer.

Mais aucune parole n'avait fait fléchir le roi égyptien qui voulait anéantir tous les symboles de renaissance d'une région qui l'avait haï. Chaque assaut des bûcherons entaillait l'âme d'Amenpafer. Le vacarme, les senteurs criardes des copeaux de bois, les troncs saignant de résine odoriférante qui envahissait tout apportaient dans la vallée verdoyante et gaie un relent de guerre.

– Ces riches dons des dieux seront perdus à jamais. Je suis responsable de ce carnage. J'ai conduit moi-même Pharaon en ces lieux enchanteurs. Ishtariou a raison ! Les Égyptiens ne respectent que leur pays !

Le soleil argenté derrière une nuée matinale qui s'étirait vers l'infini semblait se protéger des assauts répétés des bûcherons qui ahanaient.

– Nous emporterons du bois de qualité pour la construction de nos bateaux, dit Thoutmosis en venant rejoindre Amenpafer. Voilà une excellente opération ! Nous avons vaincu facilement. Nous avons gagné un trésor et nous assurons maintenant le renouvellement de notre flotte. Que les dieux soient bénis ! Qu'Amon soit toujours puissant ! Qu'il me transmette son pouvoir pour le servir !

Des jeunes femmes formaient une ronde en riant aux éclats, se souciant peu du vacarme alentour. Elles laissaient leur tunique flotter au vent et dansaient pieds nus avec une légèreté divine. Non loin de là, les voiles des bateaux égyptiens commençaient à battre. Le ciel devint subitement noir.

– Un signe d'orage ? demanda le roi, inquiet.

– Peut-être, répondit Amenpafer avec sarcasme. Pharaon ne devrait pas craindre les pluies. Elles fertilisent les champs.

– La région n'en aura plus besoin !

Le scribe Tianou lui apporta un message qu'il déroula avec nonchalance.

– J'ai fini d'écrire la bataille d'Arvad, lui dit en même temps le fonctionnaire, manifestement satisfait de son texte. Elle restera dans la postérité.

Le visage du roi s'assombrit.

– Le général Kariou a besoin de renforts à Jaffa, dit-il. Il n'a toujours pas réussi à l'emporter. Nous allons lui envoyer des troupes. L'ennemi s'est réfugié derrière de hauts remparts et la ville paraît impossible à prendre.

– A-t-il un plan ? demanda aussitôt Amenpafer en retrouvant une tenue décente face au roi égyptien.

– Il le prétend. Seuls lui manquent les effectifs.

– Qui prendra la direction de ces troupes ?

– Toi.

Amenpafer se montra réticent.

– Je vais te révéler le plan de Kariou. Viens sous ma tente et laisse cette jeune femme entreprenante pour de prochaines agapes. Nous boirons et dînerons ce soir sous les étoiles des dieux quand Rê commencera sa course nocturne. Tu auras tout le temps de profiter de ces plaisirs. Mais je veux que tu partes dès demain à l'aube et que Jaffa cède devant nos forces.

Les deux hommes marchèrent en silence. Le roi avait revêtu ses vêtements de détente. Il portait un pagne simple et une ceinture en or moins large qu'à l'accoutumée. Son porte-sandales et son porte-éventail le suivaient. L'un lui rafraîchissait les pieds dès qu'il s'asseyait ; l'autre agitait devant lui de grandes plumes d'autruche.

Quand il pénétra sous sa tente, Thoutmosis ôta sa coiffe ornée du cobra d'or. Il fit sortir tous ses serviteurs et leur ordonna de se tenir à l'écart.

– Sers-moi une coupe de bière, dit-il à Amenpafer.

Le jeune homme s'exécuta sous les yeux attentifs du roi. Thoutmosis s'assit sur son trône et posa ses pieds sur un coussin épais d'un rouge écarlate. Il s'empara de son sceptre et manipula un bâton en ivoire.

– Tu vois cet instrument sacré... Je l'utilise pour rendre hommage à Amon après une victoire.

Amenpafer lui tendit sa coupe et demanda au roi l'autorisation de boire avec lui.

– Tu vas prendre ces deux objets avec toi, lui dit Thoutmosis.

– Je ne suis pas Pharaon. À quoi me serviront-ils ?

– Ils font partie du plan de Kariou. Tu vas également choisir les meilleurs vins du Nil et les emporter sur ton char.

– Il ne nous reste que peu de jarres...

– Nous sommes entourés de denrées et de boissons. Servons-nous ! Kariou a également besoin de grandes jarres bombées et profondes. Il n'en a pas suffisamment.

Comme Amenpafer réclamait quelques éclaircissements, le roi lui répondit que Kariou lui en dirait plus à Jaffa. « Se méfierait-il de moi ? se demanda Amenpafer. Sait-il qu'Ishtariou est encore en vie ? L'a-t-il reconnu parmi les prisonniers malgré sa barbe et son déguisement ? S'il connaissait ma mission, Ishtariou m'inciterait à trahir le roi. Il y verrait une occasion de se venger et de détruire l'armée égyptienne. »

– Combien d'hommes enverras-tu à Jaffa ? demanda Amenpafer.

– Six cents.

Le jeune Mitannien laissa échapper sa coupe.

– Tu vas donc rester ici sans défense ? Jamais les dieux ne seront assez puissants pour te protéger si tu es encerclé !

– Kariou a besoin de ces soldats et je veux m'emparer de Jaffa ! Vous serez si vite de retour qu'aucun village ne connaîtra nos plans. J'aurai auprès de moi suffisamment de militaires entraînés pour affronter des fantassins et des cavaliers.

« Ishtar m'enverrait-elle un signe ? se demanda Amenpafer. Jamais le roi n'aurait dû confier une telle mission à un homme comme moi. Je suis son confident non un chef militaire ! Veut-il tester ma fidélité ? A-t-il surpris la conversation que j'ai eue avec Ishtariou qui m'incitait à le trahir ? »

Ne sachant quelle attitude adopter, Amenpafer se contenta d'approuver Thoutmosis et de lui obéir.

II

Sheribu attendit la nuit pour quitter ses consœurs du harem. Il lui était interdit de sortir. Aussi prit-elle toutes les précautions pour ne pas être vue ni entendue de la jeune femme qui avait été désignée pour surveiller les favorites de Pharaon.

Les tentes des jeunes femmes embaumaient de senteurs diverses. La myrrhe se mêlait à l'encens et à la rose. Des vapeurs envoûtantes se dégageaient encore des bassines qui avaient servi aux bains des favorites prêtes à contenter le roi.

Sheribu avait revêtu une cape de couleur sous laquelle le vent s'engouffra généreusement. Elle plaqua les pans du vêtement le long de son corps et rabattit la capuche sur ses cheveux. L'un des deux gardes qui surveillaient l'entrée des tentes du harem d'accompagnement se retourna vers elle en brandissant sa lance. Sheribu plaça ses deux mains en avant en le suppliant de l'épargner.

– Je suis Sheribu chérie de Pharaon, dit-elle. Je ne suis pas un ennemi qui s'est introduit ici par surprise.

– Que fais-tu dehors en pleine nuit ? lui rétorqua la jeune recrue. Montre-moi ton visage !

Sheribu laissa un coup de vent ramener son capuchon sur ses épaules. Ses cheveux s'échappèrent et lui zébrèrent les joues.

– Qui t'a donné l'autorisation de sortir ?

– Personne, répondit sèchement la jeune femme. Mais je me sens mal. Je n'ai pas voulu réveiller les autres. Il me suffira de faire quelques pas pour qu'Hathor me redonne du courage et des forces.

– Porterais-tu les fruits de tes amours avec Pharaon ? demanda le garde en souriant.

Jugeant cette question déplacée, Sheribu préféra ruser.

– Thouéris n'est pas encore venue me tarauder à ce sujet mais rien n'est impossible !

Le garde lui proposa de l'accompagner.

– Ce sera inutile, répondit Sheribu. Je souhaite seulement respirer l'air frais.

Alors que Sheribu se demandait comment elle allait réussir à éloigner le soldat, l'autre garde revint et conseilla à son ami d'abandonner l'interrogatoire.

– J'ai appris que Pharaon avait une préférence pour cette Mitannienne, dit-il. Je te déconseille d'insister.

Sheribu se glissa entre les tentes à la recherche des prisonniers.

– Voilà leurs campements ! Les Égyptiens les encerclent. Il me sera impossible de passer. Ishtariou a pourtant réussi à rejoindre Amenpafer. Je dois, à mon tour, parvenir à lui parler !

Elle s'avança devant les gardes assis en tailleur qui tenaient fermement leur lance. La plupart ne réagirent pas à son approche. Ils somnolaient, la tête appuyée sur leur arme. Quelques-uns avançaient des pions sur un damier.

– Où vas-tu ? demanda soudain un jeune soldat zélé qui se leva promptement pour intercepter Sheribu.

La jeune femme ne lui répondit pas. Elle se mit à chanceler puis elle poussa des cris stridents en se tenant le ventre.

— Que se passe-t-il ? demandèrent les soldats en encerclant Sheribu. Cette femme est malade !

Sheribu criait de plus en plus fort en espérant que ses plaintes alerteraient Ishtariou. Quelques prisonniers levèrent le pan de leur tente pour s'informer.

— Nous devons réveiller le médecin !

— Ce sera inutile, dit Ishtariou en sortant précipitamment.

— Reste où tu es ! cria un soldat en se plaçant devant lui.

— Je suis médecin. Laissez-moi ausculter cette femme ! Je suis capable de préparer des potions pour la soulager.

— Fais vite ! Si tu tentes de nous berner, je te transpercerai de ma lance !

Ishtariou se pencha vers Sheribu qui ouvrit les yeux et lui sourit. Il posa la main sur ses joues et sur sa poitrine.

— Cette femme est lasse. Il lui faut du repos. Transportez-la sous cette tente vide. Je vais concocter une mixture de plantes qui la fera dormir profondément.

Quatre soldats prirent Sheribu par les épaules et les chevilles. Ils la portèrent en maugréant sous la tente d'un d'entre eux en faction depuis la veille.

— Laissons-la se reposer, conseilla Ishtariou en baissant la voix. Je vais vous dresser la liste des plantes dont j'aurai besoin. Le cuisinier peut me les donner sans peine.

Ishtariou attendit que l'attention des gardes se relâchât puis il s'approcha de Sheribu.

– J'ai l'intention de m'échapper, lui dit-il en mitan-nien. Ce sera facile.

Sheribu se mit à trembler.

– Tu risques ta vie, lui dit-elle. Les Égyptiens n'hési-teront pas à t'abattre si tu cherches à quitter le camp.

– Que raconte-t-elle ? demanda l'un des gardes en poussant violemment Ishtariou.

– Elle se plaint. Elle délire comme certains devins qui interprètent les paroles des dieux. Je dois lui parler pour la réconforter sinon elle risque de sombrer dans un sommeil éternel. Le roi en serait très contrarié. Une si belle fille !

Ishtariou reprit sa place auprès de Sheribu.

– Pharaon vient de confier une mission à mon frère, dit-elle tout bas en évitant de citer des noms.

Ishtariou cligna des yeux pour l'inciter à poursuivre.

– Il l'envoie à Jaffa, qui résiste. Mon frère a pour mission de maîtriser la ville. Un plan a été mis en place. Une grande partie de l'armée égyptienne va partir à l'aube.

Ishtariou lui fit signe de se taire.

– Voilà les plantes que tu souhaitais, lui dit l'un des soldats en déposant un bouquet sur un tréteau. J'ai réclamé des bols, des morceaux de bois pour mélanger les mixtures et des coupes.

Ishtariou écrasa des graines de fenugrec et recueillit l'huile dans un bol rempli d'écorce d'orange. Il ajouta de la menthe pilée, de l'eau tiède et du miel. Tout en mani-pulant les plantes, il réfléchissait : « Demain l'armée égyptienne sera inférieure en nombre. Nous pourrions en profiter pour reprendre l'avantage et nous emparer de Thoutmosis. »

Ishtariou fit infuser du thé dans une coupe. « Et si le

roi n'avait qu'une confiance limitée en Amenpafer ? S'il le mettait à l'épreuve ? Je trouve curieux qu'il le place à la tête de l'armée alors que ce n'est pas un chef militaire. »

Sentant un piège, Ishtariou modéra son enthousiasme. « Je crois qu'il vaut mieux en profiter pour prendre la fuite. Je pourrais ainsi rejoindre Amenpafer sur la route de Jaffa. »

– La clepsydre s'écoule, grogna l'un des gardes. Est-ce que ce sera encore long ?

– J'ai terminé, dit Ishtariou en tendant un bol jaune à Sheribu. Tu peux boire cette potion sans crainte. Elle te fera du bien.

Sheribu grimaça en portant la mixture à ses lèvres.

– Tu ne m'épargnes pas, murmura-t-elle. Qu'as-tu décidé ?

– Rassure-toi. Je ne prendrai aucune décision à la légère.

Comme la jeune femme l'implorait de l'écouter, Ishtariou sentit son corps se remplir d'une chaleur intense. Une flamme envahissait son être. Les sentiments endormis qu'il éprouvait pour Sheribu se réveillaient à nouveau. Il avait envie de l'embrasser et de caresser ses épaules nues.

Lisant ce désir interdit dans ses prunelles enflammées, Sheribu rougit et détourna son regard.

– As-tu fini de boire ? demanda le soldat qui avait déjà repoussé Ishtariou. Vous avez assez parlé ! Que cette femme retourne sous sa tente ! Emmenons-la au harem ! Et toi, rejoins tes compatriotes ! Qu'on attache ses poignets !

– Porte-toi bien, dit Ishtariou à Sheribu en égyptien.

Que les déesses veillent sur ta santé et sur ta beauté et que Pharaon soit comblé !

Sheribu se laissa transporter jusqu'à sa tente. Dès qu'elle atteignit le campement réservé aux femmes, elle ordonna, cependant, aux soldats de la laisser.

– Cette potion a été efficace, dit-elle. Je me sens mieux. Que les dieux m'aident à me tenir debout.

Elle ajusta son vêtement et fit quelques pas.

– Tout va bien maintenant, dit-elle. Vous pouvez retourner surveiller les prisonniers.

Comme l'un d'entre eux insistait pour prévenir la responsable du harem, Sheribu l'arrêta aussitôt.

– Il est inutile de la réveiller pour rien ! Je dormirai dans un instant.

Elle pressa le pas et s'engouffra sous sa tente avant de laisser au soldat l'occasion de répliquer. Puis elle l'entendit faire demi-tour. « Que va décider Ishtariou ? se demanda-t-elle. J'ai si peur qu'il ne lui arrive malheur. Ai-je bien agi en le prévenant ? »

– Qui est là ? demanda fermement la jeune femme chargée de surveiller le harem.

– Ce n'est que moi, répondit Sheribu. Rendors-toi.

– Que fais-tu ?

– Je priais la déesse de la nuit de repousser l'orage et le vent. Le roi m'a transmis sa peur des éclairs.

– Dors et n'y songe plus ! Tout sera calme demain.

– Puisses-tu avoir raison ! répondit Sheribu en ôtant sa cape et sa tunique et en revoyant le regard déterminé d'Ishtariou penché sur elle.

III

Depuis le départ du roi, Thémis se tourmentait. Elle comprenait que Thoutmosis allait bientôt être informé des événements qui avaient précédé sa fuite au Mitanni. « Amenpafer m'a parlé d'un certain Bès qui serait encore en vie et qui aurait bien connu mon époux. Que lui a-t-il révélé exactement ? Comment acheter son silence ? Parlerait-il pour nous nuire ? »

Thémis essaya de se réconforter. Le paysan n'avait aucun intérêt à ressortir cette vieille histoire qui l'impliquait lui-même dans un complot royal. « Son intention est peut-être de me faire chanter, se dit-elle. Ne paye-t-il pas sa peine en versant au roi une bonne partie de ses récoltes ? Sa situation est claire. »

Elle fut plusieurs fois tentée de lui rendre visite et de lui parler.

– Je ne me souviens plus de cet homme. Sans doute fréquentait-il les ouvriers. Il doit être très âgé... S'il avait l'intention de me nuire, peut-être aurait-il déjà raconté ce qu'il savait à Thoutmosis.

Thémis décida finalement d'y renoncer mais d'envoyer aux informations l'un de ses serviteurs qui lui était entièrement dévoué. Elle souhaitait en savoir plus sur l'activité et les ressources du paysan.

Toutefois, elle estima impératif de retrouver les dossiers juridiques qui concernaient cette malheureuse affaire. L'archiviste du palais ne les ayant manifestement pas classés, elle était persuadée que Rekhmirê les avait gardés. Elle n'entretenait pas d'excellentes relations avec le vizir qui paraissait se méfier d'elle et de sa fille. Aussi mit-elle en place un stratagème pour éviter d'éveiller ses soupçons.

— Rekhmirê n'est plus très jeune. Je pense avoir quelque chance de le séduire. Je l'ai beaucoup observé. Je connais ses goûts et ses faiblesses.

Mais Thémis avait négligé l'intérêt qu'Iset portait au vizir. Celui-ci cherchait tous les subterfuges pour éviter la mère du roi sans la blesser. Il semblait que l'infatigable Iset avait jeté son dévolu sur l'homme qui faisait construire dans la Vallée des Nobles la plus belle des tombes.

— Je me suis moi-même occupée du traitement de cette plante que Thoutmosis III a rapportée d'un précédent voyage, dit Thémis à une servante mitannienne qu'elle avait eu le droit de conserver auprès d'elle. La repousse a été difficile et rien ne dit que la plante ne mourra pas. Le climat égyptien est beaucoup plus sec que dans ces régions où Pharaon guerroie. Cependant, je crois l'avoir assez bien traitée et je suis sûre que le roi sera satisfait. J'ai envie d'en apporter une pousse à Rekhmirê. Sa passion pour les plantes est presque aussi vive que celle du roi.

— Il manifestera certainement beaucoup d'intérêt pour cette plante magnifique et étonnante.

— Je le crois aussi. Fais avancer mon char. Je vais lui rendre visite. Le vizir n'apprécie guère ma compagnie. Il lui arrive même de m'éviter. J'ai envie que nos relations s'améliorent.

La servante s'exécuta.

« La tâche sera compliquée, se dit Thémis. Je dois avoir accès aux dossiers confidentiels de Rekhmirê. Pour ce faire, il me faut gagner à tout prix sa confiance. Le vizir aime sa femme Mérit. Les déesses m'envoient là un écueil supplémentaire. »

*
**

Thémis arriva chez le vizir à un moment avancé de la journée. Le fonctionnaire avait réglé toutes ses affaires le matin, écoutant les doléances des uns, rendant des jugements sur les litiges des autres. Il avait fait une sieste à l'ombre de ses arbres et s'apprêtait à dicter un message à l'intention du pharaon.

Rekhmirê se montra extrêmement surpris de la visite de la Mitannienne.

– J'ai beaucoup de travail, lui dit-il. Pharaon nous a envoyé hier un compte rendu de ses victoires décrites par Tianou. Je dois le rassurer sur la conduite de la politique thébaine. Je veux que le messager parte ce soir.

– Je serai brève, Grand Vizir honoré de Thoutmosis, dit Thémis en s'attendant à un tel accueil.

– Que m'apportes-tu là ?

– Quelque chose qui pourrait te plaire. En l'absence de Pharaon, je souhaitais te le montrer.

Thémis sortit d'un pot une pousse couverte de fleurs roses.

– La couleur n'est-elle pas divine ? Cette plante est digne de la déesse Hathor !

– Sans doute, répondit le vizir en observant la plante de plus près. Explique-toi...

– Cette plante a été rapportée par Thoutmosis III, le

Grand Horus d'or. Je m'en suis moi-même occupée dans mon jardin. Je l'ai soignée, arrosée, guettée pour qu'elle ne meure pas. Tant d'arbustes sont morts depuis que la reine Hatchepsout envoyait des expéditions en Asie ou dans le pays des Échelles !

– Pourquoi lui apportes-tu tant de soin ?

– J'aime les fleurs comme Pharaon. Mais je considère que ces plantes représentent plus que de simples boutures. Elles symbolisent les victoires de Pharaon. Le roi des Égyptiens règne sur des contrées inconnues de la plupart d'entre nous. Nous les découvrons grâce à ces témoignages que le roi rapporte de ses voyages...

Habitué aux ton doucereux des ambassadeurs et des princes étrangers, Rekhmirê l'écouta attentivement.

– Le roi sera donc satisfait de cette réussite ! dit-il. Je ne peux, hélas, t'accorder davantage d'attention. Il me faut regarder les plans que vient de me transmettre Djéhouty.

– Ne sont-ce pas les plans du futur temple de millions d'années de notre grand roi vénéré d'Amon ?

– Précisément, par Rê tout-puissant. Tu comprends l'importance de mon travail. J'ai besoin de concentration. Je dois faire une évaluation des coûts, demander des rapports à des experts très réticents sur l'endroit choisi par le roi...

– Je viens donc au bon moment, insista Thémis.

– Je ne comprends pas...

– Te souviens-tu que la reine Hatchepsout avait fait planter des arbres à encens devant son temple de millions d'années ?

– Ils devaient honorer Amon...

– ...et produire l'encens le plus pur. Crois-tu que Thoutmosis III ne serait pas comblé s'il réussissait, lui aussi, à posséder ses propres plantes, des fleurs si belles qu'aucun dieu n'en a jamais vu de semblables ?

Rekhmirê regarda plus attentivement les plantes que lui tendait Thémis.

– C'est une bonne idée. Elles plairaient au roi. Hélas ! Je doute fort que des fleurs si fragiles puissent résister en plein soleil ! Comment vivraient-elles au milieu du cirque de Deir el-Bahari chauffé toute la journée par des rais puissants qui n'épargnent personne ? L'eau ne suffira jamais à les arroser. Plusieurs domestiques devraient être chargés de leur entretien.

– En effet.... Mais ne représentent-elles pas le souvenir des exploits de Thoutmosis III ?

– Qu'attends-tu de moi ? demanda le vizir. Tu n'as pas besoin de moi pour parler de ton idée à Pharaon. Il t'apprécie suffisamment pour t'écouter.

– Je ne suis pas certaine de le convaincre.

Rekhmirê allait congédier une nouvelle fois Thémis lorsqu'il entendit les éclats de voix de la grande Iset. Le vizir rougit.

– Je suis encore obligée de rendre des comptes à ces porte-éventails ! cria Iset en pénétrant dans le bureau du vizir. Moi, la mère de Pharaon ! Celle qui a reçu les titres les plus honorables !

Iset fut si surprise par la présence de Thémis qu'elle en oublia aussitôt le comportement des serviteurs.

– Que fais-tu ici ? demanda-t-elle avec mépris à la vieille Mitannienne. Pharaon te traite trop bien. Je suis d'accord sur ce point avec la Grande Épouse royale. Mais de là à braver les dieux et les règles de la cour !

– Je reviendrai te rendre visite, dit Thémis sans baisser le regard devant Iset. Je tiens absolument à ton soutien.

– Je t'ai dit tout le bien que je pensais de ta décision. Il est inutile de m'en reparler, répondit froidement Rekhmirê.

Thémis salua le vizir avec un sourire narquois au coin des lèvres. Elle n'était pas dupe des intentions d'Iset. « Cette vieille insatisfaite aurait-elle déjà conquis le sage Rekhmirê ? se demanda-t-elle. Si les déesses pouvaient répondre à cette question... »

IV

Amenpafer partit à l'aube avec une bonne partie de l'armée égyptienne. Jamais encore il n'avait ainsi conduit des soldats au combat et il se demandait encore ce qui avait poussé le pharaon à lui faire confiance.

Tout en chevauchant sur les pistes humides de rosée, la cape rabattue sur sa poitrine, il réfléchissait aux propos de Sheribu et d'Ishtariou. L'une avait tenté la veille de le convaincre de prendre le parti d'Ishtariou et de profiter de cette aubaine pour anéantir l'armée égyptienne ; les paroles de l'autre résonnaient à ses oreilles.

Habitués à être conduits d'une main de fer par Amenmen, les soldats se pliaient de mauvaise grâce aux décisions d'Amenpafer. Dès que le conseiller du roi accélérait l'allure, ils se plaignaient du manque de repos et reprochaient à Thoutmosis de leur avoir fait miroiter des jours de rêve avant de les entraîner dans une nouvelle bataille.

– Le divin pharaon ne pouvait prévoir la résistance de Jaffa ! répliquait Amenpafer en encourageant les troupes.

Le Mitannien arriva aux abords de la ville plus vite que prévu. Il retrouva aussitôt le général Kariou qui lui expliqua la situation.

– Je veux agir rapidement, lui dit l'officier sans le ménager. Nous avons perdu des hommes et ceux qui restent sont affaiblis.

– Nos troupes fraîches mettront fin à ce siège.

– Je l'espère, par Horus.

Après lui avoir offert les règles de l'hospitalité, Kariou entra tout de suite dans le vif du sujet.

– As-tu apporté avec toi tout ce que j'avais demandé ?

– Oui.

– Le roi t'a-t-il parlé de mon plan ?

– Non. J'ai cru comprendre que tu préférais me le révéler toi-même.

Kariou approuva de la tête.

– Je vais faire mine de me rendre. Je connais le roi-telet de Jaffa. Il tombera dans le piège. Je l'inviterai alors sous ma tente. Mon sommelier sortira les meilleurs vins, ceux que tu m'as apportés. Mon cuisinier préparera les plats les plus alléchants. Comment des hommes affamés qui viennent de subir un long siège ne seraient-ils pas tentés par une nourriture abondante agréablement préparée ?

– Je comprends ta ruse, dit Amenpafer. Elle n'est pas nouvelle mais elle a toujours eu d'excellents résultats.

– Encore faut-il que les dieux nous assistent pour réussir, répondit Kariou légèrement blessé.

– Et que comptes-tu faire lorsque notre homme sera ivre ?

– Tu le verras le moment venu... Tiens tes hommes prêts au combat. J'enverrai, dès demain, un messager dans l'enceinte de Jaffa.

Kariou fit comme il l'avait dit. Le prince de Jaffa lui répondit dans la journée. Il acceptait avec soulagement la reddition des Égyptiens et se réjouissait du repas qu'il allait faire en compagnie du représentant de Pharaon.

Le soir même, Amenpafer fut tenté de désobéir à Pharaon et de le trahir. « C'est impossible. Jamais les soldats d'Amenmen n'accepteront de me suivre. Je resterai seul. Pharaon savait ce qu'il faisait en me confiant une armée qui lui est tout acquise. »

Le lendemain, la guerre semblait finie. Kariou était en joie. Il distribuait ses ordres au cuisinier, veillait sur la préparation du banquet qu'il avait décidé de donner en plein air. L'air était doux. Le vent était tombé. Le ciel étoilé paraissait approuver ce climat de paix et de calme.

Plusieurs tréteaux furent dressés bout à bout et placés en forme de L. Tout autour, des nattes furent déposées sur le sol. Le général fit louer quelques jeunes musiciennes du village voisin.

– On présentera au roi de Jaffa des musiques de notre pays et des vins du Delta. Je doute qu'il résiste aux très jeunes femmes que nous avons choisies pour exécuter des danses nues. Aucune ne l'emportera sur Sheribu mais un long siège incline à toutes les indulgences.

Amenpafer s'étonna que le général se souvînt de la prestation de sa sœur qui avait décidément marqué tous les esprits.

Une odeur de fumet monta vers les cieux. Des femmes apportèrent des brassées de fleurs.

– J'ai commandé des parfums et des plantes pour reconstituer nos banquets royaux, dit Kariou.

Le roi de Jaffa se présenta avec plusieurs de ses hommes dès le coucher du soleil. Dans sa hâte de goûter aux mets égyptiens, il n'avait pas pris toutes les précautions qui s'imposaient.

Kariou le reçut avec de grands égards. Il reconnut sa défaite et félicita le vainqueur.

Attiré par les tambourins et les crécelles, le roitelet de Jaffa lança une plaisanterie en détaillant les danseuses qui l'encerclèrent.

— Comprends-tu son langage ? demanda discrètement Kariou à Amenpafer.

— Oui. Je saisis ce qu'il souhaite exprimer.

— Cela nous sera utile car je ne voudrais pas que les dieux nous envoient un ennemi prêt à nous duper...

Amenpafer jugea le général bien sarcastique. N'était-il pas sur le point de prendre le roi de Jaffa par traîtrise ?

Le roitelet s'installa aux côtés du général égyptien et lui raconta combien le siège avait été dur à supporter. Amenpafer servit d'interprète.

— Si vous ne vous étiez pas avoués vaincus, nous aurions dû déclarer forfait !

Kariou appela le sommelier et fit remplir plusieurs fois de suite la coupe du roitelet. Les plats se succédèrent dans un défilé harmonieux. Des jeunes gens revêtus d'un pagne apportaient eux-mêmes les sauces et les épices.

Le roi de Jaffa riait à gorge déployée. Soudain, alors que des danseuses évoluaient, le général égyptien leva le bras. Plusieurs soldats surgirent derrière les hommes du roi et les transpercèrent d'un trait. Le roi de Jaffa fut assommé et enchaîné.

— Et maintenant quel est ton plan ? demanda Amenpafer.

Kariou ne répondit pas. Il fit apporter les larges coffres et les jarres profondes qu'Amenpafer avait transportés sur ses chars et appela ses soldats.

— Entrez là-dedans ! ordonna-t-il. Je vous ai donné

mes instructions. Vous savez tous ce qu'il vous reste à faire !

Les soldats prirent leurs armes et se tassèrent à l'intérieur. D'autres Égyptiens, plus robustes, portèrent les coffres et les jarres jusqu'aux portes de la ville de Jaffa.

– Ils ont reçu l'ordre de surprendre les habitants et de les faire prisonniers. Rien ne sera plus facile lorsqu'ils seront dans la place ! dit Kariou, fier de son plan.

– J'en suis convaincu. Mais comment entreront-ils ? Pourquoi leur ouvrirait-on les portes ?

– Allons, Amenpafer ! Pharaon estime que tu es son meilleur conseiller. Que ferais-tu à ma place ?

– Je trouverais un stratagème pour qu'ils puissent pénétrer dans cette ville sans attirer de soupçon...

– Nous allons faire croire que je suis prisonnier du roi de Jaffa, que le trésor de pharaon se trouve dans ces coffres et que ces jarres sont pleines de victuailles. Les habitants se précipiteront pour ouvrir les portes. Ils savent que l'Égypte est riche et que le roi égyptien possède des trésors. Aucun d'entre eux ne résistera à l'appât des pierres.

– C'est une bonne idée, répondit Amenpafer. Je crois que les dieux vont t'accorder cette victoire !

Au même moment, retentirent les cris d'un soldat de Jaffa gagné à la cause égyptienne.

– Ouvrez cette porte ! Que l'épouse du roi se réjouisse ! Son mari a fait Kariou prisonnier ! Nous rapportons des bijoux magnifiques !

Les habitants manifestèrent leur joie du haut des remparts. La lance levée vers le ciel, ils ordonnèrent aux archers d'ouvrir les portes. Puis ils se ruèrent vers les coffres.

– Montre-nous ces trésors ! clamaient les femmes.

Mais au moment où elles se penchaient vers les coffres, elles étaient transpercées d'une flèche. Les Égyptiens sortirent en hâte de leur cachette et profitèrent de l'effet de surprise pour se ruer sur les habitants pétrifiés. La plupart furent tués ; les autres furent entravés et rassemblés dans la cour centrale.

Comprenant la situation, Kariou se réjouit.

– Nous allons enfin pouvoir envoyer un message à Pharaon. Jamais il n'aura offert tant de prisonniers à Amon !

– Assurément, tu auras bien mérité les honneurs que le roi te rendra, dit Amenpafer.

Mais le jeune homme avait plus d'admiration pour un prince vaillant osant affronter le danger que pour un rusé général.

Sixième
partie

V

Pharaon fêta comme il convenait les prouesses de Kariou et lui promit de l'honorer dès qu'il serait rentré à Thèbes. Le général avait déjà pris la route de la capitale lorsqu'Amenpafer revint au camp égyptien.

– Je possède enfin Jaffa, lui dit Thoutmosis III. Nous pouvons maintenant retourner à Thèbes et fêter mon triomphe. La reine nous y attend. J'ai donné des ordres pour notre retour.

Sheribu vint les rejoindre. Amenpafer la serra contre lui. Il lisait mille questions dans son regard. Lorsqu'ils furent seuls, Amenpafer lui apprit comment les événements s'étaient déroulés.

– Je n'avais aucun pouvoir, lui dit-il. Pharaon m'avait confié une armée qui lui était tout acquise. Comment aurais-je pu entraîner les soldats au combat malgré eux ? Comment imaginer qu'ils auraient pu trahir le roi ?

Sheribu parut déçue.

– Ce n'est pas une question de courage, ajouta Amenpafer. Nous courrions à l'échec si j'avais agi comme tu le souhaitais.

– L'important n'est-il pas que les dieux t'aient permis de revenir sain et sauf ?

Amenpafer sentit une pointe de mélancolie dans la voix de sa sœur.

– Je vais réfléchir aux propositions d'Ishtariou, promit-il. Je ne puis me lancer ainsi dans de tels projets !

– Ishtariou a quitté le camp.

Amenpafer lui demanda de répéter ce qu'elle venait de dire. Comment les prisonniers pouvaient-ils s'échapper alors qu'ils étaient gardés par des dizaines d'archers ?

– Je l'ai aidé, reconnut Sheribu. Il a revêtu un pagne égyptien et il a quitté le camp de nuit pendant que tu te trouvais à Jaffa.

Amenpafer préféra prier les dieux. Il remercia les divinités asiatiques de l'avoir aidé à accomplir sa mission. Le moment des réjouissances et de la paix était revenu. Les marins égyptiens quittèrent les ports dès le lendemain. Le pharaon conduisit sa cavalerie et sa charrerie.

– Que notre retour soit triomphal ! Que les villageois nous accueillent comme nous le méritons ! Qu'ils nous servent leur vin ! Que les enfants nous jettent des fleurs !

Les femmes du harem d'accompagnement, elles aussi, se montraient satisfaites de regagner le palais. Coucher sous les tentes et voyager dans la poussière ne leur convenaient guère. Elles préféraient le confort du palais.

Pendant le voyage, Pharaon convoqua chaque soir son scribe et lui dicta son texte.

– Je veux aussi faire graver mes exploits sur les murs de Karnak, précisa-t-il. Voici les lignes que je veux voir reproduites. À toi de les mettre en forme.

– Je te conseille de faire graver ce texte près de l'enceinte qui abrite la barque d'Amon, suggéra le scribe.

Amenpafer approuva une telle idée conforme à l'ambition de Thoutmosis.

– Je souhaite rester dans la postérité. Je veux que tous les Égyptiens lisent plus tard mes exploits. Le temple de

Karnak sera un lieu vénéré. La pierre rendra donc mes actions militaires éternelles.

– Rien ne vaut les murs du temple pour garder le souvenir de tes batailles, approuva encore le scribe.

Quand l'armée entra dans Thèbes, Méryrêt-Hatchepsout fit jouer les tambourins et les crécelles. Les femmes chantèrent un hymne à la gloire de Pharaon et d'Amon. La peau brûlée par le soleil, les épaules noires, la barbe mal taillée, le pagne poussiéreux, les soldats, debout dans leurs chars, recevaient les acclamations de la foule, les larmes aux yeux.

Rekhmirê se tenait droit à côté de Méryrêt. Il accueillit son ami Thoutmosis avec bonheur.

– Je vais enfin pouvoir m'occuper de mes constructions, dit le roi. Mon temple de millions d'année se dressera bientôt dans la Vallée. Je veux aussi trouver une sépulture décente pour Thoutmosis Ier...

Rekhmirê observa Djéhouty qui n'entendait pas d'où il se trouvait les propos du roi. « Notre vieil architecte n'est pas près de prendre du repos ! » se dit-il en observant la joie volubile du roi énonçant tous ses projets.

Après le triomphe du roi, la vie reprit son cours. Amenmen vérifia avec le pharaon le bois qui avait récemment été rapporté du Liban et qui servirait à l'entretien de la barque d'Amon : celle qui possédait une proue résistante devait être en parfait état pour la prochaine fête d'Opet. Or, lors du transfert de la barque Ouserhat dans son petit temple de Louxor, la coque avait été légèrement endommagée. Le porteur responsable de cette dégradation avait été puni par le roi qui avait immédiatement envoyé une expédition à Byblos pour obtenir des troncs de bonne qualité.

Thoutmosis surveillait lui-même le travail d'Amenmen. Il se rendait au temple de Karnak, faisait ouvrir le *naos* abritant la statue du dieu et la porte de la chapelle protégeant la barque sacrée. Menkheperrêsen accomplissait ainsi le rite divin devant lui.

Ce jour-là, Thoutmosis ne dérogea pas à la règle. Dès que la porte de la chapelle fut ouverte, il pénétra à l'intérieur.

– Cet Égyptien maladroit n'a pas su déposer la barque sur son reposoir. Le cèdre a été brisé.

– Il est impossible de placer le navire d'Amon sur le Nil, dit Amenmen en caressant la coque recouverte de dorure et brillante de pierres semi-précieuses. Je me sens responsable de cet incident. Ta barque, Grand Roi, n'a subi aucun dégât. Celle de Mout, la digne épouse d'Amon, et celle de leur fils Khonsou sont intactes.

– Jamais la coque sacrée ne touche l'eau du Nil. Elle est déposée dans un navire plus solide. Si le travail de réfection n'est pas achevé au moment de la fête d'Opet, nous trouverons une solution.

Amenmen, qui était chargé des amarres et qui naviguait aux côtés du dieu, se montra très réservé.

– Je crains qu'un nouveau transport n'endommage encore davantage ce bateau fragilisé. Remettons-le en état. Sinon, je redoute le pire. Imagine qu'il se brise sous le regard des Thébains en liesse. Les devins interpréteront cet affreux incident comme un message des dieux, jetant l'effroi parmi la foule. Demain, la rumeur se répandra jusqu'au seuil du Sinaï et de la Nubie. Nos ennemis clameront que nous sommes abandonnés par les dieux, que nos récoltes seront misérables, que des épidémies tueront nos bêtes et nos enfants !

Thoutmosis se tenait droit. Il examinait fièrement la barque sacrée. Les jambes légèrement écartées, les mains sur les hanches, il écoutait attentivement les conseils d'Amenmen.

– Le cortège qui accompagnera Amon, Mout et Khonsou, les prêtres, les soldats, les danseuses et les acrobates ne navigueront pas sur un navire plus beau que celui du dieu. Amon entrera dans le temple de Louxor avec ses plus magnifiques apparats. Il y accomplira son rituel d'amour et de renaissance éternelle. Pendant vingt-quatre jours, son navire pourra être admiré par tous. Je m'engage à ce qu'il revienne à Karnak dans les meilleures conditions. Malgré la foule et les manifestations de joie, personne n'endommagera la barque d'Amon.

– Si tu parviens à faire de la barque un écrin de cèdre, je te pardonnerai ta négligence. Même s'il s'agit de celle d'un de tes hommes, tu sais que tu es reponsable de ce travail.

Amenmen se pencha en avant, les mains jointes.

– Que Pharaon tout-puissant me pardonne.

– Le roi t'a pardonné mon ami. Mais Amon doit avoir ton soutien constant. Dès que la barque Ouserhat aura retrouvé son apparence divine, nous irons chasser dans les marais. Tu me liras quelques poèmes à l'ombre des arbres et nous nous promènerons sur ton étang. Méryrêt-Hatchepsout prendra plaisir à respirer le lotus en ta compagnie pour anticiper sur sa vie éternelle.

Face à la surveillance d'Iset, Thémis préféra attendre le retour du roi pour fréquenter de nouveau le vizir. Elle le laissa reprendre ses habitudes et régler ses affaires puis elle alla le trouver un soir juste avant qu'il ne rejoignît son harem.

— Belle Thémis, tu m'as demandé audience, lui dit Thoutmosis en laissant les servantes prendre soin de sa toilette.

La Mitannienne se jeta à ses pieds et le félicita de tous ses exploits. Elle rappela ses nombreux noms et ses titres élogieux.

— Toi qui es la réincarnation de Rê, Taureau indomptable et puissant, tu dois maintenant songer à la construction de ton temple de millions d'années.

— Cette décision royale concerne-t-elle une prisonnière de guerre ?

Thémis rougit. Elle dissimula mal son mépris pour celui qui ne savait pas la respecter. Thémis avait gardé une grande fierté rappelant volontiers les honneurs que lui avait décernés Aménophis Ier. Elle revendiquait sa haute naissance et refusait de se laisser rabaisser par les propos du roi.

— Lève ton front, Thémis, et ne maudis pas les dieux parce que je te parle ainsi. Tu oublies trop souvent qui tu es et à qui tu t'adresses.

— Grand Roi, si je reconnais ta puissance, je suis cependant née d'un homme respecté dans son pays.

— Parle. Que veux-tu ? J'ai hâte de rejoindre mes femmes.

— Pharaon Menkheperrê, j'ai soumis une idée originale à ton vizir Rekhmirê.

— Ah oui ? Par Horus, je suis curieux de l'entendre. Que t'a répondu Rekhmirê ?

– Il ne m'a rien dit. La Grande Iset semble l'accaparer. En ton absence il était difficile de lui parler.

Thoutmosis sourit. Il connaissait l'entêtement de sa mère.

– J'ai réussi à faire pousser quelques plantes que tu as ramenées d'Asie. Je les trouve agréables à regarder. Leur parfum embaume mon jardin. Pourquoi ne profiterais-tu pas de ces fleurs délicates ? Je connais ton goût pour la botanique. Amon a fait de toi le plus grand jardinier du monde. Hatchepsout a autrefois tenté de faire pousser des arbres à encens en l'honneur d'Amon. Pourquoi n'aurais-tu pas tes propres arbres ?

– Et nous les planterions devant mon temple ?

– Telle est mon idée, Grand Roi.

– Les arbres d'Amon ont péri. Ils se sont desséchés au soleil.

– Sauf quelques-uns. Mais je te promets que les miens vivront et que tu montreras ainsi ta supériorité sur Hatchepsout.

Thoutmosis observa la Mitannienne et l'autorisa à se relever.

– Tu entends ; tu examines ; tu comprends bien des choses, Thémis. Il n'était pas utile de me comparer à Hatchepsout pour obtenir mon avis. Il est favorable. Amon sera honoré par tant d'égards.

Thémis se retira aussitôt. Elle avait bien l'intention d'aller trouver Rekhmirê et de l'impliquer dans son projet.

VI

Quand elle arriva au bureau du vizir, Thémis fut surprise par des éclats de voix inhabituels.

– Vous n'avez pas su être honnêtes. D'autres Thébains
rempliront mieux que vous cette fonction ! Note, scribe !
Ces hommes sont renvoyés ! Je vais te donner les noms
de leurs remplaçants. Je vais en profiter pour diviser les
nomes dont ils étaient responsables en deux parcelles
égales. Je limiterai ainsi les responsabilités de ceux qui
entreront en fonction.

Thémis hésita à se faire annoncer. Mais elle se souvint
des paroles du roi et reprit courage.

– Je n'ai pas le temps d'interrompre cette réunion, par
Rê tout-puissant ! Je dois convoquer l'ensemble des
nomarques. Je veux entendre le compte rendu de leur
travail ! lui dit fermement Rekhmirê.

– Je sais que tu es occupé, vénérable vizir, dit Thémis.
J'ai compris tes soucis. J'ai vu les scribes qui attendaient
d'être reçus par ton auguste personne. Tu liras et
approuveras ou rejetteras les testaments que te présen-
teront d'honorables fonctionnaires.

– Il me faut surtout nommer de nouveaux magistrats
avant le coucher de Rê, répondit Rekhmirê.

– Grand décideur de Haute et Basse Égypte, haut
fonctionnaire de la Grande Terre, nous approchons de

la nouvelle saison. Tout le monde sait que tu recevras dès demain les scribes de toutes les régions et les juges qui les accompagneront. Ce travail s'ajoute à celui qui te contraint à écouter chaque jour les plaintes des particuliers. Aucun Thébain ne t'épargne.

Le vizir s'impatientait. Il hésitait à renvoyer Thémis. Celle-ci se montra alors très audacieuse. Elle fit allusion à Iset sans savoir quels liens liaient le vizir à la mère du pharaon. Mais, comme toutes les femmes habiles, elle laissa croire qu'elle en savait plus que Rê ne le lui en avait appris.

– Malgré ses préoccupations multiples et variées, Rekhmirê reçoit très souvent la Grande Mère du roi.

Thémis s'étonna elle-même de son audace.

– Que veux-tu dire ? demanda le vizir en perdant de sa superbe.

« Cette attitude laisse clairement entendre que Rekhmirê n'a pas été insensible au charme d'Iset. On le dit pourtant très épris de sa femme et très fidèle », se dit Thémis, pensive.

– Rassure-toi Rekhmirê, je ne te fais aucun reproche. Comment une vulgaire femme telle que moi oserait-elle parler ainsi à un si grand personnage ? Mais tous les courtisans ont constaté qu'Iset avait beaucoup de succès auprès des hommes et qu'elle était très attirée par ton intelligence et ta réussite.

Rekhmirê fut de plus en plus troublé par les propos de Thémis. « J'ai atteint mon but », se dit bientôt l'astucieuse Mitannienne.

– Peut-être avais-tu l'intention de t'entretenir avec la mère du roi... Sans doute suis-je venue au plus mauvais moment...

– Il n'est pas question aujourd'hui de visite de courtoisie mais bel et bien de travail, par Horus ! Les femmes sont envahissantes et stupides !

Un scribe déposa de nombreux rouleaux devant le vizir. Certains concernaient des affaires de justice ; d'autres venaient compléter des registres.

– Enlevez ces sceaux ! dit Rekhmirê. Je vais lire ces documents et les faire suivre aux personnes chargées de régler ces litiges. Vous les classerez par région et par village. Je les scellerai moi-même !

Quand il eut terminé, il s'étonna de l'insistance de Thémis.

– Accorde-moi juste un instant. Je viens de la part de Pharaon. Désobéirais-tu à Thoutmosis III ?

– Parle !

– J'ai évoqué ces plantes qui ont remarquablement pris dans mon jardin et que je comptais offrir à Amon.

– Je m'en souviens.

– Tu avais raison. Mon projet a plu à Pharaon.

– J'en suis heureux. En quoi puis-je t'être utile ?

– Nous allons les placer devant son temple de millions d'années.

– Bien ! En ce cas, adresse-toi à Djéhouty qui est chargé de la construction du temple.

– J'ai besoin de ton accord. Tu dois venir voir chez moi les arbres que j'ai choisis. Thoutmosis III tient absolument à ce que tu donnes ton avis. Il connaît tes goûts en botanique et te fait confiance.

Le vizir soupira.

– Je suis aux ordres de Pharaon. Je vais m'informer de ses volontés et je te tiendrai au courant. Amon saura me guider chez toi si tel est le souhait du plus grand des rois.

– Je m'en réjouis à l'avance, répondit Thémis.

Elle avait revêtu une tunique moulante et transparente. Son parfum tenace troubla le vizir. Elle le regardait avec l'air d'en savoir plus à son sujet. Rekhmirê remarqua alors qu'elle avait revêtu la même robe qu'Iset. Elle portait aussi les mêmes bijoux en turquoise.

– Grand vizir, Pharaon tout-puissant souhaite que tu mettes les taxes à jour dès aujourd'hui, dit le scribe Tianou en lui tendant de nouveaux manuscrits.

– Les impôts doivent être fixés. Je ne veux pas voir ici défiler des tributaires mécontents. Je dois déjà me justifier devant les Thébains qui sont partis à la guerre et qui refusent de payer leurs redevances sous prétexte que leurs épouses n'ont pas pu récolter la totalité des céréales !

Thémis lui sourit avant de le saluer et de s'éclipser. Elle laissait derrière elle un doux parfum de complicité.

Rekhmirê se rendit dès le lendemain chez Thémis à la demande pressante du roi qui lui ordonnait de remettre les affaires courantes pour le satisfaire.

Son temple de millions d'années était à ses yeux la première des priorités. « Puisque Thoutmosis Ier allait être enterré dans une nouvelle tombe, il était bon qu'il bénéficie lui aussi des soins de Thémis, écrivait le roi au vizir. Je veux que les plantes soient placées à l'entrée de sa sépulture. Il est temps qu'il possède une tombe décente pour lui seul, loin d'Hatchepsout. Elle-même conservera sa tombe dans la vallée. »

Rekhmirê ordonna à son cocher de l'accompagner chez Thémis.

– Connais-tu sa demeure ?

– Oui, vizir. Aucun Thébain n'ignore combien Pharaon a honoré Thémis en lui offrant l'une des plus belles maisons de la ville.

– Eh bien, conduis-moi jusqu'à ce domaine. On raconte aussi que Thémis possède un jardin exceptionnel qu'elle a confié aux mains expertes des meilleurs jardiniers.

Le cocher fit claquer son fouet au-dessus de la tête de ses chevaux qui partirent au trot. Le vizir avait revêtu l'un de ses plus beaux pagnes. Sa ceinture dorée brillait sous le soleil. Il sortait de chez son barbier qui l'avait abondamment parfumé. Sa peau était glabre et luisante. Ses yeux marron reflétaient son intelligence. Il portait les cheveux courts.

Pour se rendre chez Thémis, il n'avait pas jugé bon de coiffer sa perruque. En longeant le Nil, il revit le visage agréable de la Mitannienne. « Que sait-elle ? se demanda-t-il. Imagine-t-elle que j'entretiens une liaison avec Iset ? Pourquoi Amon m'attire-t-il chez cette femme au corps si séduisant ? Jamais encore je n'avais été troublé à ce point par une étrangère. Ma femme me comble. Elle m'a donné des enfants sains et honnêtes qui succéderont un jour à leur père comme j'ai succédé au mien. »

– Nous arrivons, grand vizir, dit le cocher. Dois-je entrer ou souhaites-tu que je t'attende ici ?

– Par Rê, le vizir de cette région descendrait de son char à la porte d'une prisonnière de guerre ! Entre et ordonne aux gardes d'aller chercher Thémis ! Qu'elle ne me fasse pas attendre ! Si elle est occupée, qu'elle se rende immédiatement disponible !

Le cocher suivit une allée bordée de sycomores, de fleurs roses qui embaumaient et d'arbres fruitiers dont les branches croulaient sous les fruits. Il admira l'agencement du jardin, les arceaux recouverts de plantes grimpantes.

— Arrête-toi un instant, dit-il au cocher. Je ne connais pas cette variété de fleurs... Comment Thémis peut-elle réussir de tels miracles sans que les dieux ne l'aident ?

Rekhmirê descendit de son véhicule et prit délicatement une fleur dans sa main sans la détacher de sa tige. Il la huma et caressa les pétales veloutés roses ou bleus. La beauté du jardin lui fit oublier les doléances des Thébains.

— Comment Thémis peut-elle posséder un tel parc digne des champs d'Ialou ?

— Honorable vizir, tu me rends déjà visite. j'en suis flattée, lui dit la vieille femme en venant à sa rencontre. Je vois que tu t'es arrêté devant cette variété que mon fils m'a ramenée d'Asie. Elle sent particulièrement bon.

Rekhmirê se montra plus disponible que lors de leur précédente rencontre. Il trouva Thémis plus belle encore dans sa robe à bretelles qui dissimulait à peine ses seins. Elle avait placé une énorme fleur de lotus dans ses cheveux noirs.

— Pharaon a raison d'affirmer que les ans n'ont pas d'emprise sur toi. Les déesses t'ont sans doute confié des secrets de beauté.

Thémis lui sourit et l'invita à visiter son parc. À l'issue de cette promenade qui renforça leur complicité, Thémis proposa à Rekhmirê de choisir les plants qui permettraient d'orner le temple du roi et l'entrée de la nouvelle tombe de Thoutmosis Ier. Tous deux passèrent beaucoup de temps à établir leur choix.

— Retrouve-moi tout à l'heure dans le cirque rocheux sur la rive ouest. Je vais te montrer l'emplacement que

Thoutmosis a estimé le meilleur pour replanter ces fleurs.

Thémis se réjouit de ces bonnes dispositions. Elle allait enfin pouvoir rendre visite au vizir plus souvent et tenter d'en savoir plus sur les anciens registres qui relataient les vieux jugements. Nul doute que l'un d'entre eux évoquait la condamnation que la reine Ahmose, Grande Épouse de Thoutmosis Ier, avait prononcée contre elle et son époux.

Rekhmirê la rejoignit au coucher du soleil devant le temple d'Hatchepsout.

– Ces arbres rapportés du Pount sont desséchés. Je veillerai à ce que les miens ne subissent pas le même sort.

– Cela ne dépendra plus de toi, belle Thémis, mais des prêtres qui seront chargés de les faire pousser. Menkheperrêsen désignera ceux qui en seront capables.

Thémis leva les yeux vers les hautes falaises de calcaire qui dominaient l'emplacement choisi par Thoutmosis.

– Ces rochers menacent de s'écrouler. Le temple risque d'être détruit avant même d'être achevé !

– Tu connais Pharaon. Thoutmosis a décidé que son temple de millions d'années serait érigé entre celui d'Hatchepsout et celui de Montouhotep II. Personne ne changera cette décision. Seule une manifestation divine pourrait le faire revenir sur ce projet initial.

– Les rois ont leurs secrets. Ceux-ci échappent parfois aux simples particuliers. Sans doute faut-il leur faire confiance. Les dieux les protègent. Emmène-moi à la future tombe de Thoutmosis Ier.

Rekhmirê hésita.

– Tu es habile, Thémis. Mais le roi m'a interdit d'emmener quiconque dans la Vaste Prairie où reposent nos rois. Même les artisans ne sont pas encore informés de l'emplacement de la tombe.

Thémis sentit que le vizir mentait. Mais elle n'insista pas. Elle comprenait qu'elle pourrait désormais le rencontrer facilement et que sa porte ne lui serait plus jamais fermée.

VII

Le lendemain, Thoutmosis put constater en personne que ses ordres avaient été exécutés. Il vit l'emplacement repéré par Rekhmirê entouré de plusieurs briques.

– Djéhouty ! Voilà où seront plantés les arbres d'Amon. Tu n'as plus qu'à construire mon temple !

Le chef de chantier tenta une nouvelle fois de dissuader le roi de lui confier une telle mission. Thoutmosis ne répondit même pas. Il se contenta d'évoquer les délais qui seraient nécessaires à une création de cette envergure.

– Je veux que les meilleurs artisans travaillent sur ce monument. Je les choisirai moi-même. J'ai beaucoup d'admiration pour ces hommes valeureux qui ont reçu leurs dons des dieux. Afin de les encourager, je veux que tu veilles à multiplier les vivres qui leur sont donnés comme salaires. Tu créeras aussi d'autres espaces pour les magasins. Ainsi nos artisans ne manqueront-ils jamais du nécessaire.

Le roi manifesta le souhait de se rendre à la Place de Maât où habitaient tous les artistes. Il passa de maison en maison et observa avec beaucoup d'intérêt le travail précis des peintres et des sculpteurs. La plupart préparaient leur matériel. Il s'attarda chez l'un d'entre eux, particulièrement habile, qui travaillait sur un buste du roi.

Thoutmosis le complimenta et ordonna aussitôt à Djéhouty de donner à l'artiste et à sa famille deux sacs de céréales.

— J'ai rarement vu une telle perfection dans le dessin. Me voilà reproduit dans la pierre comme si j'avais un frère jumeau ! La fidèle reproduction de mes traits !

L'artiste taillait la pierre avec son ciseau, détachant peu à peu le buste du bloc où il était encore enserré.

— Seigneur des deux terres, tu me flattes en me disant que cette reproduction te plaît. Il me faut encore sculpter tes ennemis et les placer sous tes pieds dominateurs. J'ai déjà essayé de les reproduire plusieurs fois mais ce travail est difficile...

— Plus ardu que de dessiner Pharaon ? s'étonna le roi.

— Oui, car je ne connais pas tes ennemis.

— N'as-tu pas vu les Asiatiques que j'ai ramenés des champs de bataille ?

— Sans doute mais je veux les représenter avec leurs armes et leurs équipements. Leurs yeux doivent implorer le Seigneur de l'Égypte. L'expression de leur visage doit mêler la crainte et le respect.

— Tu as compris dans quelle attitude je veux les voir.

— La pierre ne permet pas toujours de rendre les sentiments humains !

— Je te crois assez habile pour y parvenir. Persiste dans tes efforts. Prie les dieux de t'aider. Tu réussiras car Amon t'a donné l'étincelle du génie.

L'artiste tomba aux pieds du roi en le remerciant de ses compliments. Il promit de travailler nuit et jour pour contenter le pharaon.

Le roi donna également des ordres pour rendre les conditions de vie des artistes plus agréables.

– Je veux qu'ils aient de la nourriture et de l'eau sans restriction, dit-il à Rekhmirê.

Le vizir proposa aussitôt d'aménager de nouveaux points d'eau aux portes du village dont le roi tenait à maintenir les remparts inaccessibles aux étrangers.

– Il faudra prévoir un gardien pour la surveillance de ces points d'eau. Cela coûtera cher...

– Nos victoires successives nous permettent largement de payer un gardien supplémentaire dans cette Vallée. Que chaque artisan puisse utiliser l'eau dont il aura besoin !

– Pour ce faire, je ferai disposer dans les rues des jarres et des amphores qui seront à la disposition de tous.

Le roi approuva l'idée du vizir. Tous les habitants du village – Thébains ou Nubiens – remercièrent le roi et les dieux de cette heureuse initiative. Les quarante familles concernées se réunirent pour honorer Thoutmosis III.

– Il serait également bon que ce village accueille un plus grand nombre de familles. Je tenterai de m'en occuper, ajouta le roi avec beaucoup de conviction.

Thoutmosis passa beaucoup de temps avec son fils. Il veillait à son éducation et à sa morale. Aménophis II devenait un garçon attentif, instruit et obéissant. Thoutmosis III lui apprenait les devoirs des princes. Chaque jour, il lui répétait qu'un pharaon devait s'inquiéter du bonheur de son peuple. Un mouvement de grève représentait un signe d'alarme inquiétant.

– Si tu anticipes les volontés du peuple, jamais il ne se révoltera. Mieux vaut être prévenant et généreux pour ne pas voir les temples occupés par des ouvriers mécontents.

Aménophis l'écoutait, les yeux admiratifs. Il était conscient d'être le prince d'Égypte et il s'appliquait à plaire à son père. Méryrêt était fière de lui. Elle affichait son contentement à chaque occasion, montrant ainsi aux autres femmes qu'elles n'avaient aucune chance d'imposer leur enfant sur le trône d'Égypte.

Elle trembla le premier jour où Thoutmosis voulut emmener son fils à la chasse. Le roi souhaitait chasser le lion et la gazelle en compagnie d'Aménophis. Il partit avec ses meutes de hyènes et rapporta plusieurs fauves qui ravirent les domestiques mais effrayèrent la Grande Épouse royale.

– Aménophis s'est bien comporté, lui dit Thoutmosis. Il n'a pas reculé face aux lions. Il s'est aussitôt emparé de son arc. Voilà une attitude que j'apprécie. Les dieux nous ont donné un futur roi qui saura prendre la succession de son père et qui brillera au combat.

– Je l'espère vivement, répondit Méryrêt, un peu déçue de sentir que son fils lui échappait et qu'il entrait maintenant dans le cercle des favoris de Pharaon.

VIII

Ishtariou pénétra fièrement dans la pièce où l'attendait le roi de Kadesh. Il s'était installé depuis plusieurs jours dans la ville ennemie de l'Égypte et tenait à proposer lui-même au souverain son plan pour attaquer Thoutmosis III.

Le prince le reçut dans une salle agréablement agencée. Il était assis sur un trône luxueux aux accoudoirs en forme de têtes de lion. Jeune, ambitieux et têtu, le roi avait déjà réuni son armée et choisi les meilleurs de ses chefs d'armée.

– Entre, Ishtariou, et dis-moi ce que tu voulais me faire connaître. Qui es-tu ? D'où viens-tu ?

Ishtariou le regarda avec beaucoup d'attention avant de le saluer avec la plus grande déférence.

– Les dieux m'ont conduit jusqu'à toi, prince. Est-il bien nécessaire de savoir d'où je viens ?

– Tu parles par énigmes. Pourquoi ne me révélerais-tu pas ton identité ? Aurais-tu quelque secret à garder ?

– Absolument pas. Mais mon histoire serait trop longue à raconter. Je peux seulement te dire que je viens d'Égypte et que j'étais le principal conseiller de Thoutmosis III.

Le roi de Kadesh se montra très étonné. Il était prêt

à appeler deux gardes supplémentaires quand Ishtariou l'en empêcha.

– Ce ne sera pas nécessaire, prince. Je ne suis pas ton ennemi. Sache que le pharaon égyptien m'avait fait prisonnier non loin d'ici. J'ai été élevé au Mitanni. J'ai fréquenté la cour thébaine parce que le roi m'avait désigné comme son principal conseiller. J'avoue y avoir été bien traité. Mais je me suis vite aperçu que je ne pouvais renier mes origines.

– Je comprends mieux ta décision, répondit le roi, soulagé. Je suis, cependant, persuadé que le pharaon a envoyé des hommes à ta recherche. Je le connais : il ne renonce jamais et veut mener le monde à sa manière.

Ishtariou sourit. Il reconnut que le roi de Kadesh avait raison.

– Il me croit dans le domaine d'Osiris, avoua-t-il. Pourquoi me ferait-il rechercher ? N'aie crainte ! Je n'entraîne pas dans mon sillon une horde de soldats égyptiens !

– Tu peux sans doute m'aider. Que proposes-tu ?

– Les dieux me soufflent à l'oreille que tu n'as pas l'intention de demeurer inactif. Les Asiatiques piaffent sous le joug égyptien. Ils ne l'acceptent pas !

– En effet. J'ai rencontré d'autres chefs. Nous sommes d'accord pour chasser l'Égyptien de nos terres !

– As-tu prévu la période à laquelle tu comptes attaquer ?

– As-tu une idée bien arrêtée à ce sujet ?

– Oui. Je pense qu'il vaut mieux attaquer à une époque où Pharaon a besoin d'hommes dans les champs. Il hésitera à lever la totalité de l'armée. Il procède toujours en choisissant des recrues dans les villages proches de Thèbes. Ces hommes viennent grossir les rangs des fantassins et des archers. Afin que toutes les familles ne soient pas touchées en même temps, il prend garde de ne pas lever à chaque fois les recrues dans les mêmes villages. Je suis sûr qu'il hésitera à faire partir les maîtres des vastes domaines thébains. Il se contentera de quelques jeunes hommes.

– Son assurance pourrait lui nuire. Je comprends que Pharaon t'ait choisi comme conseiller. Tu es d'une remarquable habileté !

Deux jours plus tard, un espion de Thoutmosis III arriva à la cour de Thèbes. Il demanda audience au roi et l'informa aussitôt des intentions du prince de Kadesh.

Le pharaon décida de suivre la voie maritime pour surprendre l'ennemi. Un long convoi de bateaux descendit le Nil en direction du Delta. Certains navires transportaient les fantassins et les archers, d'autres les vivres indispensables à une longue expédition.

Deux jours après leur départ, les troupes de Thoutmosis pénétrèrent dans la Méditerranée. Le pharaon avait prévu d'éventuelles attaques de pirates. Mais aucun incident ne troubla leur traversée. De nombreux bateaux de commerce les croisaient. Ils étaient grecs ou chypriotes et faisaient souvent étape dans les ports asiatiques avant de rejoindre le delta égyptien.

Amenmen était du voyage. Il avait été consulté sur la période choisie pour ce nouveau périple. Thoutmosis reconnut la pertinence de son choix.

– Nous bénéficions d'un vent agréable et suffisant qui nous pousse vers notre destination. Si nous étions partis quelques semaines plus tôt, nous aurions probablement dû affronter des vents contraires qui nous auraient retardés.

Amenmen aimait que le roi reconnût ses mérites. Comme tous les Égyptiens, il appréciait les récompenses et les paroles flatteuses. Il attendait aussi des dons de son souverain et les montrait volontiers à ses amis.

Thoutmosis III éprouva une grande fierté en revoyant les ports qu'il avait placés dans son empire.

– Tous ces pays sont à toi, lui dit Amenmen. Tu es vraiment le plus grand des pharaons.

Tianou s'empressa de noter la formule dans ses mémoires.

– Nous approchons de Byblos. J'en suis ravi, dit le roi à la veille du cinquième jour de voyage. Nous pourrons nous y reposer en toute tranquillité. Les habitants de Byblos sont des amis. J'ai préparé pour leur prince des dons précieux car je sais qu'ils ne manqueront pas de nous honorer. Ils nous offrent même des armes qui nous sont bien utiles.

– Thoutmosis Menkheperrê, cette ville fera partie du royaume égyptien.

– Je le souhaite, en effet. La déesse Hathor est honorée près du port de la ville. Mais nous ne débarquerons pas à Byblos. Je compte bien surprendre le prince de Kadesh dès notre arrivée. Aussi ai-je décidé de débarquer à Simyra. Nous prendrons ensuite le chemin de la Bekaa.

– N'oublie pas qu'il nous faudra auparavant nous imposer à Simyra. Ce port est plus hostile que Byblos.

– Le pharaon n'oublie rien. Mais je suis persuadé qu'Amon effraiera vite d'éventuels ennemis.

Tout se passa comme Thoutmosis l'avait prévu. En traversant la plaine de la Bekaa, le roi se souvint des conseils judicieux d'Amenpafer.

– Il me faudra organiser en étapes caravanières les villes dont nous nous sommes emparés. Pourquoi l'Égypte se priverait-elle d'une si grand richesse ?

Le roi rencontra quelques caravanes qui s'apprêtaient à rejoindre l'Euphrate puis la capitale de l'Assyrie. D'autres cortèges venaient du Hatti et prenaient la direction de la Méditerannée ou des rudes déserts.

Quand il vit l'importance de l'armée égyptienne, le prince de Kadesh fit appeler Ishtariou. Celui-ci lui parla de l'entraînement des archers égyptiens et lui donna moult informations sur la puissance du pharaon.

– Il sait mener ses hommes au combat comme un dieu. Tu l'as sans doute deviné, lui expliqua Ishtariou. Sois prudent quand il lance ses chars contre l'ennemi. Rien ne peut l'arrêter. Tous brandissent leurs armes avec précision.

De son côté, Thoutmosis III ne souhaitait pas faire durer les hostilités. Il avait compris qu'il était plus efficace d'agir vite que de laisser à l'adversaire le temps de s'organiser.

– Notre précédente campagne a été longue. Nous avons profité des bienfaits des dieux en mangeant les fruits de l'Oronte et en aimant les belles Asiatiques. Nous sommes restés longtemps loin de Thèbes. Je ne veux pas faire ici un siège qui durerait des mois. Attaquons dès que possible !

Amenmen était de cet avis. Il se prépara à partir à

l'assaut de la ville fortifiée en disposant contre les remparts les échelles les plus hautes qu'il pût trouver.

– Nos archers et nos fantassins risquent d'être massacrés en arrivant au sommet de ces murs, dit le roi.

– Certainement pas ! Certains mourront pour l'Égypte mais nos archers sont suffisamment habiles pour anéantir par leur tir rapide et juste la plupart des soldats postés en haut de ces murailles. Nous possédons de larges boucliers qui permettent aux soldats de monter jusqu'au sommet sans être tués. Ceux qui auront une épée ou un poignard transperceront la poitrine de leurs adversaires avant même qu'ils n'aient pu réagir.

Le roi fit confiance à son ami. Le lendemain, une horde de soldats partit à l'assaut de la place forte. Montant aux échelles tout en se protégeant de leurs boucliers, ils tuèrent bon nombre d'hommes qui tentaient de lancer des flèches sur eux. Dès qu'il vit la rapidité avec laquelle ses soldats parvenaient en haut des murailles, Thoutmosis III ordonna de plaquer d'autres échelles contre les remparts. De nouveaux archers partirent à l'assaut des murailles avec une rapidité déconcertante. Ils grimpèrent si vite que les Asiatiques eurent la tête coupée sans avoir eu l'occasion de lutter. Les Égyptiens se ruèrent dans la ville, l'épée à la main, effrayant les femmes et les enfants.

Réfugié dans ses appartements, le roi de Kadesh s'étonna d'une telle promptitude.

– Qu'Amon se détourne de ce pharaon ! lança-t-il. Il vient de faire ouvrir les portes !

– Les trompes retentissent ! Les soldats crient la victoire du roi ! Thoutmosis est déjà dans la place !

– Ils pillent ma ville, Ishtariou.

– Laisse tes femmes, lui conseilla le Mitannien. Sortons par la porte du nord. Tu trouveras bien un chef prêt à t'héberger.

Bien qu'il hésitât, le prince constata très vite qu'Ishtariou lui proposait la seule solution possible.

– Mon fils devrait venir avec moi...

– Il est trop tard. Prie les dieux pour que Pharaon épargne ton fils aîné, l'héritier de la couronne !

IX

Le prince de Kadesh n'abandonna pas sans regret l'héritier du trône. Il suivit, malgré tout, Ishtariou qui l'entraîna à l'extérieur.

– J'entends les cris de triomphe de l'armée égyptienne, dit-il en s'arrêtant.

– Que les dieux te rendent sourd à ces manifestations de joie. Pense à l'avenir de l'Asie ! De nombreux rois sont prêts à t'accueillir et à t'aider. Thoutmosis III ne pourra résister à une coalition !

Ishtariou lui expliqua qu'il avait prévu une éventuelle défaite et qu'il avait demandé à quelques-uns de ses amis de se poster derrière la muraille de Kadesh.

– Ils nous attendent ! dit-il au roi. Sans doute ont-ils compris la situation ! Nous serons bientôt loin d'ici. Imagine la fureur de Thoutmosis quand il se rendra compte que tu ne fais pas partie des prisonniers !

– Il pourra traîner en triomphe mon propre fils, celui que j'ai éduqué pour me succéder. Par Ishtar qui illumine les nuits du désert, je voudrais voir un jour ce pharaon anéanti !

Thoutmosis avait décidé de conquérir l'Asie et d'étendre ses conquêtes au-delà de l'Euphrate. Il fit de nombreux prisonniers et se réjouit de trouver dans la ville le harem du roi de Kadesh avec ses enfants. Il fit venir le prince héritier sous sa tente et demanda à Amenpafer de traduire ses propos.

– Je vais emmener ces enfants à Thèbes pour les confier aux maîtres du palais. Dis-leur combien il sera flatteur pour eux de recevoir des leçons à la cour d'Égypte. Ils apprendront à respecter nos dieux et vivront selon nos coutumes. Si le roi de Kadesh se rend, je le laisserai régner dans sa ville. Cependant, je lui adjoindrai l'un de mes plus fidèles conseillers.

Comme Thoutmosis regardait Amenpafer, celui-ci détourna le visage. « Par tous les dieux, que Pharaon ne me désigne pas pour cette tâche, se dit-il. Il me donnerait l'occasion de le trahir facilement. Que ferais-je alors ? »

– Thoutmosis Ier m'a appris à respecter nos ennemis. Plutôt que de les tuer ou de les maltraiter, mieux vaut être indulgent. Ils ne cherchent plus ainsi à me combattre. Pour preuve de ma bonne foi, je m'engage à redonner au prince héritier de Kadesh le trône de son père dès que celui-ci sera devenu Osiris. Il sera élevé et éduqué selon nos règles et nos principes. Ainsi deviendra-t-il un ami de la cour égyptienne.

– Pourquoi n'agis-tu pas ainsi avec l'ensemble des roitelets asiatiques ? suggéra Amenmen.

Thoutmosis III trouva l'idée excellente. Il se prépara à conquérir toute la plaine de la Bekaa.

– Je veux, cependant, faire un exemple et donner une leçon à Kadesh.

– En pillant la ville ? demanda Amenmen, peu convaincu de l'efficacité d'un tel procédé.

– Certainement pas ! Sinon où régneraient le roi et le

futur souverain ? Mais je veux voir tous les arbres de cette région détruits.

Conscient qu'une nouvelle campagne serait nécessaire pour agrandir son territoire et affirmer son autorité, Thoutmosis III décida de retourner à Thèbes et de laisser une importante garnison aux portes de l'Asie.

– Tianou, fais circuler l'annonce de mes victoires ! dit le roi à son scribe. Que toutes les villes du pays élèvent des monuments à ma gloire afin de se souvenir de mes exploits ! Pendant ce temps, je pourrai guerroyer à loisir dans le nord où je compte créer une ville forte et militaire.

Thoutmosis fut heureux de retrouver son fils qui grandissait sous la surveillance de Méryrêt-Hatchepsout II. Sheribu, qu'il n'avait pas emmenée dans son harem d'accompagnement, se montra enjouée. Comme le pharaon s'étonnait qu'elle ne lui ait pas encore donné d'enfant, Sheribu lui répondit qu'elle priait Hathor d'entendre ses souhaits. Mais Kertari informa le roi qu'il n'en était rien.

– Amenpafer rend chaque jour visite à sa sœur, lui dit-elle. Ils parlent tous deux dans le plus grand secret.

Le roi lui demanda pourquoi elle était persuadée que Sheribu refusait d'avoir des enfants de Pharaon.

– Elle consulte des médecins spécialistes dans l'anatomie féminine et ingurgite des plantes qui rendent la femme stérile. Mon intérêt n'est pas de te confier ces recettes car je préfère que mon fils qui t'adore ait un jour la chance de partir guerroyer aux côtés de son père.

Moins Pharaon a d'enfants, plus je suis heureuse ! Tu comprends donc que je ne peux que dire la vérité.

– Tu emploies les mots d'une Grande Épouse royale...

– Accorderais-tu à mon fils le privilège de chasser avec toi ? Il est grand maintenant...

Thoutmosis lui promit qu'il l'emmènerait avec lui lors d'une prochaine chasse.

– Il viendra avec Aménophis.

Kertari fut si fière de cette réponse qu'elle tomba à ses pieds.

– J'adore tant Ta Majesté, lui dit-elle. Je tremble lorsque tu pars en campagne.

– Par Amon, sache que je vais mener ma septième campagne avant de traverser l'Euphrate. Tu dois faire confiance à Pharaon.

Thoutmosis profita de ces quelques mois de calme pour organiser ses troupes dans le nord de l'Égypte et contrôler les travaux dont Djéhouty était chargé. Celui-ci s'occupa de l'aménagement de la nouvelle tombe de Thoutmosis Ier. Il en dessina lui-même le plan : un couloir peu profond permettrait d'accéder à la chambre funéraire. Thoutmosis insista pour que cette chambre fût de forme ovale comme celle qu'on préparait pour lui.

– Méryrêt-Hatchepsout II sera également enterrée près de moi, dit-il. Que sa tombe soit creusée à côté de la mienne et de celle de Thoutmosis Ier. Sa chambre funéraire sera également en forme de cartouche.

Djéhouty nota précieusement tous les desiderata du roi. Il était habitué aux demandes de pharaon qui tenait à maintenir une harmonie entre les tombes qu'il faisait creuser dans la Vaste Prairie. L'architecte lui promit la plus grande discrétion au sujet de leur emplacement.

Dans le cirque de Deir el-Bahari, les tailleurs de pierre et les ouvriers s'activaient. D'énormes blocs de pierre arrivaient d'Assouan sur des barges larges et solides capables de résister à des poids considérables. Ils étaient accumulés dans l'espace vide situé entre le temple d'Hatchepsout et de celui de Montouhotep II. Tôt le matin, le cirque résonnait de milliers de coups de ciseaux et de marteaux sous lesquels éclatait la pierre.

Les chefs de chantier arpentaient le lieu, des rouleaux de papyrus à la main, distribuant des ordres, activant quelques ouvriers accablés par la chaleur qui buvaient une boisson tiède dans un coin d'ombre. Chacun attendait le moment de la pause, l'air assoupi et les paupières mi-closes. Seules les réveillaient les instructions qui claquaient au milieu de la langueur générale.

X

Sobkit revint essoufflée dans la chambre de sa maîtresse. Elle avait hâté le pas pour exécuter ses ordres.

— Sheribu a encore quitté le harem à l'insu de la responsable. Je l'ai vue attendre la nuit et se glisser à l'extérieur. Elle est allée rejoindre son frère dans les jardins.

— Je me demande bien ce qu'elle y fait par Hathor, répondit la Grande Épouse. Pharaon m'a interrogée à ce sujet.

— Il ne connaissait pas ta vigilance.

— Je me suis toujours méfiée de cette fille ! Je ne l'ai pas envoyée dans le nouveau harem du Fayoum afin de pouvoir la surveiller personnellement. As-tu entendu ce qu'ils se disaient ?

— J'ai cru comprendre qu'ils parlaient de la future campagne du grand Thoutmosis III.

Sobkit hésita à poursuivre.

— Parle ! Que veux-tu ajouter ?

— J'ai été obligée de me tenir à l'écart parce que les espions de Pharaon étaient postés non loin de là.

— Le roi a pourtant décidé d'envoyer Amenpafer dans l'une des villes qu'il a conquises. Il lui fait donc confiance.

— À moins que les dieux ne l'incitent à changer d'avis...

*
**

Sheribu commençait à remarquer les va-et-vient inhabituels des gardes royaux.

— As-tu des nouvelles d'Ishtariou ? A-t-il réussi à s'enfuir de Kadesh ? Je suis sûre qu'il se trouvait auprès du roi quand Thoutmosis a attaqué la ville !

— Rien ne nous le prouve. Rê ne m'a donné aucun éclaircissement à ce sujet, répondit Amenpafer à sa sœur. Je ne sais pas où il est.

— Ne t'avait-il pas dit qu'il t'enverrait un message et que tu le comprendrais aisément ?

— Alors attendons...

— Mieux vaut ne pas parler d'Ishtariou ici ! Je ne peux plus quitter le harem sans éveiller les soupçons. On va s'interroger. Dis-moi seulement ce que tu as décidé de faire lors des prochaines campagnes de Pharaon.

Amenpafer resta silencieux.

— Je prie Ishtar de me guider vers la voie à suivre.

— Écoute ton cœur, Amenpafer.

— Je ne prendrai aucune décision sans en avoir parlé à Thémis.

Comme sa sœur le lui déconseillait, Amenpafer se tut. La jeune femme entendit alors un bruit de feuilles derrière elle. Elle sursauta.

— On nous écoute... dit-elle. Je retourne au harem !

L'un des gardes du roi s'avança vers elle.

— Que me veux-tu ? N'ai-je pas le droit de m'entretenir avec mon frère ?

— Thoutmosis, Seigneur des deux Égyptes, veut te parler. Suis-moi !

Sheribu regarda Amenpafer avec inquiétude.

— Ma sœur répondra à Pharaon. Je m'y engage. J'ai

juste une confidence à lui faire et je souhaiterais que vous nous laissiez seuls.

Les gardes lui firent comprendre que c'était impossible et que nul ne pouvait discuter les ordres de Pharaon. Sheribu suivit les envoyés du roi en jetant un regard implorant vers son frère. Il y lut combien elle espérait le voir prendre le parti d'Ishtariou et le sien.

Lorsqu'elle se présenta devant Thoutmosis, Sheribu montra son mécontentement. Elle était convoquée comme une simple prisonnière enchaînée et traînée devant le roi. Thoutmosis s'en amusa. Il ne croyait guère aux mises en garde de Méryrêt-Hatchepsout II. Il la regarda s'avancer devant lui dans son fourreau moulant au voile léger.

– Par Horus tout-puissant, toi, Menkheperrê, roi des deux Égyptes et d'un puissant empire, je te salue. Tes gardes m'ont demandé de les suivre comme s'ils m'emmenaient à la question ! Menkheperrê m'expliquera-t-il pourquoi ?

Thoutmosis fit sortir une partie de ses serviteurs. Il demanda une collation.

– Les femmes ont un drôle de tempérament ! Donnerais-tu des leçons au roi d'Égypte ?

Bien qu'elle eût envie de se rebeller, Sheribu se coucha sur un divan comme l'y invitait le pharaon. À la fois séduite par la beauté de Thoutmosis et agacée par sa superbe fierté, elle prit le parti de rester silencieuse.

Thoutmosis devint plus sérieux.

– Bois cette bière et dis-moi ce qui se passe ici !

– Je ne comprends pas, Grand Seigneur, Horus d'or.

– Pharaon sait et devine tout. Tu me caches quelque chose. Comploterais-tu contre le roi ?

Sheribu se garda de rougir. Elle détourna le regard.

– Me refuserais-tu le droit de parler avec mon frère alors que tu me l'as jusque-là accordé ?

– Je ne faisais pas allusion à ton frère.

Sheribu s'en voulut de s'être ainsi révélée.

– Dois-je en conclure que tu complotes avec Amenpafer ?

Amenpafer se fit précisément annoncer. Surpris par cette audace, le roi accepta de le recevoir. Amenpafer le salua très respectueusement tandis que les porte-éventails s'écartaient du roi.

– Pardonne mon intrusion, Grand Roi. Je voulais juste que ma sœur et moi soyons réunis pour t'informer d'une nouvelle capitale.

– Parle, Amenpafer ! Que signifie cet étrange comportement ?

– Grâce à une ruse de Sheribu, je crois pouvoir t'affirmer que tous les ports proches de Byblos seront bientôt en possession de Pharaon.

– Grâce à Sheribu ?

– Maître, Sheribu connaissait des habitantes de la ville de Wilsa. Elle les a convaincues de t'obéir. Leurs maris les ont écoutées. Tu peux repartir pour le nord de l'Égypte. Le littoral asiatique est acquis à Pharaon. Si tu guerroies, tu auras du pain, de l'huile, du vin, du miel et des fruits autant qu'il t'en faudra ! Les oliviers sont nombreux dans la région ! Les Asiatiques savent faire cuire le pain comme tu l'aimes, sous des formes différentes. En cette période de l'année, les récoltes s'achèvent. Tu pourras faire remplir les paniers et les jarres de céréales et de vins excellents, fruités et parfumés.

Comme Sheribu s'étonnait de la faconde de son frère, celui-ci poursuivit.

– Tes soldats seront abondamment nourris. Si tu souhaites emporter des produits de chez nous, tu pourras les entreposer dans les villes du littoral.

– Ton discours me ravit, Amenpafer. Comment est-ce possible ?

– Je te garantis, par les dieux, que tu rapporteras encore à Amon des victuailles qui le combleront.

Thoutmosis III réfléchit. Utiliser les ports comme lieux de retraite et comme magasins serait pratique pour faire campagne dans le Mitanni. « Il me suffirait d'utiliser le bois de Byblos et ses cèdres incomparables pour la construction des bateaux. Comment les acheminer jusqu'à l'Euphrate ? » La seule solution était de placer les navires sur des véhicules.

– Je ne sais comment vous avez réussi tous deux ce tour de force. Tu feras un compte rendu précis à Tianou. Mais je pressens maintenant comment se déroulera ma grande campagne contre le Mitanni.

Le fils de l'ancien chef mitannien frémit.

– Le temps de constater si ce que tu viens de me dire est exact et je reviendrai ici avant de partir à la conquête du monde !

Thoutmosis ordonna à Amenpafer de se retirer. Il voulait maintenant passer du bon temps avec Sheribu.

« Ishtariou devra m'aider et vite ! se dit Amenpafer. Il lui faudra convaincre les habitants de Wilsa d'envoyer leurs tributs au pharaon. De son action dépendent la vie de Sheribu et la mienne ! Je dois trouver un moyen de le joindre ! »

Mais Amenpafer n'avait aucune idée de la manière

dont il allait procéder. Son amour pour sa sœur l'avait fait agir spontanément. Il mesurait maintenant les conséquences du discours qu'il avait tenu au roi.

« Si je ne trouve pas une solution, jamais je ne sauverai Sheribu. Je dois partir pour Kadesh. Je dois être le conseiller choisi par Pharaon pour surveiller le roi ! Si Ishtariou se trouve dans la ville ou s'il y était, je le saurai ! »

XI

En apprenant l'excellent état d'esprit du pharaon, le prince de Kadesh préféra regagner sa ville et se rendre. Ishtariou ne parvint pas à le convaincre de poursuivre son objectif. Thoutmosis s'en réjouit et lui envoya un message cordial en s'engageant à respecter ses promesses.

Comprenant que c'était là sa seule chance de joindre Ishtariou, Amenpafer fit lui aussi partir un messager à Kadesh. Il pria les dieux qu'aucun Égyptien ne l'interceptât.

Quelques jours plus tard, la réponse du roi de Kadesh lui prouva que sa sœur s'était montrée perspicace. Il avait bien vu Ishtariou.

– Je dois partir pour Kadesh ! dit aussitôt Amenpafer en ordonnant à son chambellan de préparer des coffres de vêtements et des victuailles.

Il demanda une entrevue au roi.

– Maître, tu te souviens sans doute de ce que je t'ai dit. Les ports d'Asie te seront bientôt tout acquis...

– Tu me l'as promis, en effet, et j'ai hâte de voir cette belle réussite !

– Je t'ai ainsi montré combien nous t'étions fidèles et dévoués.

– Tu m'en donnerais une preuve encore plus éclatante si tu partais à Kadesh comme je te l'ai ordonné !

Remerciant les dieux de l'aider encore, Amenpafer répondit au roi.

– J'avais l'impression que ce n'était plus de saison. Pharaon ne m'en a pas reparlé. Je partirai dès demain matin ! Le roi de Kadesh s'est rendu mais il reste dangereux !

– Si je ne t'ai pas envoyé plus tôt en Asie, avoua Thoutmosis, c'est parce que je n'avais plus confiance en toi.

Amenpafer rougit. Le roi était passé maître dans l'art de déstabiliser ses adversaires.

– Que dois-je comprendre ?

– Mes gardes t'ont observé ces derniers temps. Tu avais un comportement étrange. La Grande Épouse royale, elle-même, s'en est aperçue ! Mes espions m'ont fait des rapports...

Le Mitannien crut être arrivé à la fin de sa vie. Ne pouvant soutenir le regard d'aigle du roi, il baissa les paupières.

– En réalité, je me suis trompé et j'en suis soulagé, ajouta Thoutmosis. Je peux t'envoyer sans crainte loin de Thèbes. Tu sauras protéger les intérêts de Pharaon et lui rapporter toute tentative de coalition.

Amenpafer lui promit de le servir le mieux possible.

Le lendemain, le conseiller du roi quitta la capitale égyptienne avec un détachement d'une centaine de soldats. Tous embarquèrent dans six navires luxueux à la proue recouverte d'or. Pharaon avait mis à la disposition de son confident quelques-uns de ses plus beaux bateaux.

— Ils montreront à tous ces Asiatiques, riches et habiles commerçants, qui ne sont jamais venus en Égypte, combien notre pays est évolué ! lui avait dit le roi.

Amenpafer bénéficia d'un vent favorable et atteignit le Delta en quelques jours. Il gagna alors la pleine mer et évita les pirates qui sillonnaient la Méditerranée. Ceux-ci s'attaquaient plutôt aux navires marchands. Ils auraient pu, pourtant, être attirés par la magnificence des coques qui brillaient sur les flots et dont les ors se reflétaient à la surface des eaux.

Amenpafer connaissait les refuges des pirates. Il évita donc de longer de trop près le littoral en arrivant vers les ports asiatiques. Après avoir abordé à Byblos et avoir rendu avec les habitants un hommage à la déesse Isis, Amenpafer gagna rapidement l'intérieur des terres. Il atteignit Kadesh facilement car les Asiatiques se souvenaient du récent passage de Thoutmosis.

Le roi de Kadesh l'accueillit avec beaucoup d'égards et lui offrit les règles de l'hospitalité.

— J'ai apprécié la grandeur d'âme de Pharaon, lui dit-il. Mon fils se porte-t-il bien ?

— Admirablement, lui répondit Amenpafer. Il est traité comme un prince et apprend l'histoire de l'Égypte.

— Je t'aurais bien offert des présents dignes de ton rang si le roi n'avait pas tout emporté ! Amon a dû être satisfait.

— Il l'a été.

Amenpafer attendit le banquet du soir pour parler au roi de Kadesh de ce qui le préoccupait.

– Thoutmosis III a pensé à moi pour ce poste de surveillant car je comprends votre langue.

– Je le sais, répondit le roi asiatique.

– Tu sembles bien me connaître. Qui t'a parlé de moi ?

– Un Mitannien comme toi.

– Ne serait-ce pas un homme qui s'appelle Ishtariou ?

– Absolument. Il m'a raconté votre histoire.

– Roi, j'ai besoin de rencontrer Ishtariou. Le temps presse !

Cette expression ne semblait guère avoir de sens pour le roi qui se prélassait dans des coussins moelleux en goûtant chaque mets du bout des lèvres avec une rare nonchalance. Des tourbillons d'acrobates et de danseuses envahissant la pièce apportèrent une atmosphère chaude et sensuelle qui fit oublier la guerre et ses destructions.

– Pourquoi es-tu venu à Kadesh ? lui demanda le roi. Remplis-tu une mission ou n'est-ce qu'un prétexte pour rencontrer Ishtariou ? Serais-tu prêt, toi aussi, à trahir Thoutmosis ?

– Non, répondit froidement Amenpafer. Dis-moi seulement où je peux trouver Ishtariou, si tu le sais.

– Tu me cherches, Amenpafer ? dit le Mitannien en apparaissant dans l'encadrement d'une porte dérobée.

– Ishtariou ! Ainsi donc Sheribu avait raison !

Le Mitannien se joignit à eux. Quand le repas toucha à sa fin, Amenpafer fit comprendre à Ishtariou qu'il voulait lui parler. Ils montèrent tous deux en haut des remparts, là où Thoutmosis avait remporté une victoire mémorable. Le soleil était couché depuis longtemps.

– Pourquoi es-tu là ? Tu as décidé de rejoindre nos rangs ?

– Non, Ishtariou. Si je trahissais Pharaon, celui-ci n'hésiterait pas à tuer Thémis et Sheribu. En outre, je ne suis pas certain que ses soldats me suivraient. Ils sont fidèles au pharaon.

– Ils redoutent surtout de perdre la vie ! Le roi punit sévèrement ceux qui osent discuter ses ordres !

– Le moment est mal choisi pour lutter contre lui. En agissant ainsi, tu n'as pas songé aux conséquences de tes actes. Tu as mis la vie de ma mère en danger !

Amenpafer lui exposa la raison de sa venue.

– Je t'aiderai, lui dit aussitôt Ishtariou, très inquiet pour le sort de Sheribu. Je parlerai aux habitants des ports. Je les connais bien. Ils m'écouteront.

– Accepteront-ils d'aider le roi égyptien dans sa future campagne et de lui verser des tributs ?

– Si je le leur demande. Je partirai dès demain pour le littoral.

À Thèbes, Sheribu se morfondait. Elle ne comprenait pas comment Amenpafer avait pu réussir l'exploit de conquérir des ports importants sans prendre les armes tout en restant à Thèbes.

Thoutmosis vint un soir la chercher dans le harem et lui réserva une surprise. Il lui offrit des cadeaux et lui promit une terre.

– Tu n'es plus une prisonnière ni une simple femme du harem. Tu as aidé le roi et l'Égypte. Il est normal que les dieux et Pharaon te récompensent. J'ai l'intention de t'offrir un domaine où travailleront pour toi maints serviteurs. Quand tu quitteras le harem et que l'âge aura un peu terni ta beauté, tu pourras y couler des jours paisibles à l'abri du besoin.

Stupéfaite, Sheribu accepta sans enthousiasme.

– Remporte ta bataille contre le Mitanni, lui dit-elle. Nous jugerons ensuite si je mérite un tel présent. En attribuant un domaine à Thémis, tu as soulevé des jalousies parmi les Thébaines.

– Seul Pharaon décide de ce qui est bien. Je t'accorde cette terre et je t'ordonne de l'accepter !

Sheribu le remercia et prononça des paroles flatteuses qui le comblèrent.

XII

Quand Thoutmosis appela Rekhmirê pour l'informer de sa décision, le scribe était en compagnie de Thémis. La vieille et séduisante Mitannienne tentait de le voir le plus souvent possible. Elle avait eu le privilège de visiter sa tombe en cours d'élaboration dans la Vallée où les hauts fonctionnaires de Thoutmosis choisissaient chacun un emplacement digne de leur poste et de leur fortune.

Évoquant ses fonctions juridiques, Rekhmirê lui avait révélé l'endroit où il gardait le compte rendu de certaines affaires de la plus haute importance. Thémis avait même pu lire le résumé de plusieurs d'entre elles. Elle se souvenait de quelques procès qui s'étaient déroulés sous les règnes d'Hatchepsout et de Thoutmosis Ier. Mais elle ne retrouva aucune trace du jugement des Thébains qui avaient trahi Thoutmosis Ier. Une autre personne gardait-elle ces dossiers par-devers elle ? Tant qu'elle n'en retrouverait pas trace, Thémis jugeait sa vie en danger et sa situation précaire.

Alors que Thoutmosis avait décidé de fêter les bons services de l'ancien vizir Oazer et de conforter Rekhmirê dans ses fonctions, Thémis reçut la visite inattendue du vieux paysan Bès.

Celui-ci parla sans détours à la mère d'Amenpafer.

— J'ai rencontré ton fils à Ta set Maât, le village des ouvriers, et je lui ai appris la vérité sur le complot fomenté autrefois contre Thoutmosis Ier. Je lui ai également dit que son père Kay en avait fait partie.

Le visage de Thémis se durcit.

— Des bruits circulaient dans la ville de Thèbes. Pendant la dernière campagne de Pharaon, tu t'es rapprochée de Rekhmirê. Le vizir s'occupe de la justice. Il détient les comptes rendus des affaires qui n'ont pas encore été archivées au palais.

Stupéfaite qu'un paysan pût en savoir si long au sujet de ses manœuvres, Thémis le laissa parler sans se révéler. Bès attendait manifestement un signe de sa part.

— Je m'étonne, lui dit-elle, que tu aies parlé à Amenpafer d'une affaire qui ne te regarde pas. Seule sa mère avait le droit de lui faire une telle révélation !

— Bien que Pharaon ait choisi deux vizirs pour administrer l'Égypte, Rekhmirê demeure celui qui contrôle la justice thébaine. Ne nie pas que sa fonction t'intéresse !

— Rekhmirê est un homme intelligent et savant. C'est l'un des Égyptiens les plus puissants de ce pays. Sa compagnie m'est, en effet, très agréable.

Sans tenir compte de sa réponse, Bès la fixa de ses petits yeux vifs.

— Tu recherches les preuves de ce complot. Tu seras sans doute intéressée par les papyri qui en donnent un résumé précis. Tu ne trouveras ces rouleaux de papyrus ni dans la pièce des archives ni chez Rekhmirê.

— Par Horus, admettons que ces rouleaux m'intéressent, où seraient-ils donc cachés ?

— Ils ne le sont pas.

— Te moques-tu de moi ? Si tu as l'intention de me

faire chanter, je te le déconseille vivement. Si tu parles au roi, Thoutmosis ne croira jamais ce que tu lui diras.

– Tu me connais bien mal, Thémis, lui répondit Bès. Ton mari et ton ami Séti t'auraient expliqué que je ne cherche pas ton malheur.

– Alors, que veux-tu ? Ne me dis pas que tu viens me trouver sans idée derrière la tête ! Sais-tu seulement de quoi tu parles ?

Bès s'appuya sur le bâton noueux qui lui servait de canne.

– Un vieil homme n'a plus besoin de rien. Quand Séti est autrefois venu me trouver pour l'aider, j'ai hésité longuement. Il a réussi à me convaincre de trahir le roi. J'ai tout perdu en adhérant à une cause désespérée ! Depuis ce temps lointain, je verse encore une amende au palais pour racheter ma faute !

– Tu as autrefois suivi Kay et Séti parce que tu espérais obtenir une fortune et une situation agréable ! Je ne crois pas que la nature humaine change en vieillissant. Tu étais avide. Tu l'es resté ! Voilà pourquoi je renouvelle ma question : que veux-tu ?

– Si tu m'offres l'hospitalité, je te dirai ce que je sais. À mon âge, chaque pas est fatigant.

Thémis réclama du vin et lui fit signe de se mettre à l'aise.

– J'étais ami de Séti, l'as-tu oublié ? rappela Bès. C'est, en effet, lui qui m'a décidé à rejoindre les conjurés. Sans lui, sans Kay, je n'aurais pas été obligé de travailler toute ma vie pour purger ma peine.

– Une dette qui court encore... répondit Thémis qui commençait à comprendre où le paysan voulait en venir.

– Sans doute pourrais-tu m'aider... Le roi t'a gâtée...

— Alors que tu as été puni. Tu trouves que Maât s'est montrée bien injuste pour une fois.

Bès hocha la tête. Thémis le trouva pitoyable. Elle se demandait comment son époux avait pu réclamer l'aide d'un tel homme. « Sans doute une idée de Séti, se dit-elle. Il n'avait ni la superbe ni le panache de Kay ! »

Thémis se leva et réfléchit longuement. Bès attendait, n'osant boire la coupe qu'on avait déposée à son intention sur un petit meuble bas. La vieille femme se demandait si elle avait intérêt à aider Bès. « Qui me prouve qu'il sait où se trouvent ces fameux comptes rendus ? Si je lui donne des biens aujourd'hui, il peut chaque jour venir m'en réclamer davantage. Tomber dans cet engrenage signifie que je suis coupable. Si je n'avais rien à cacher, j'aurais déjà renvoyé ce vil paysan. »

Elle se tourna vers lui et considéra son grand âge. Il paraissait usé par le travail et la chaleur. Ses membres étaient secs et fripés. Son visage ridé, sa bouche édentée, ses épaules affaissées soulevèrent sa pitié.

— Tu as raison, Bès. Je me sens un peu responsable de tes malheurs. J'ai envie de t'aider. Je ferai en sorte que tu aies plus de graines au moment des semailles. Tu récolteras ainsi davantage de céréales. Si tu as également besoin d'aides au moment des récoltes, dis-le-moi. Je t'enverrai quelques serviteurs courageux.

— À ton *ka*, Thémis, dit Bès en levant sa coupe. Tu es bonne et compréhensive. Comment convaincras-tu le vizir de me donner plus de graines ? Tu ne dois pas attirer l'attention.

— Laisse-moi faire ! L'important est que tu obtiennes ce que tu veux ! Pour la main-d'œuvre, adresse-toi directement à moi !

– Rekhmirê serait très mécontent s'il apprenait tes intentions.

– Il n'en saura rien à moins que toi ou tes fils ne lui en parlent. Fais en sorte que tes voisins ne s'en aperçoivent pas ! Les Thébains sont jaloux et envieux ! Ils lorgnent toujours sur les biens des autres !

– Mes fils seront soulagés, eux aussi. Ils garderont ce secret pour eux.

– Qu'Amon te soutienne !

Comme Bès ne bougeait toujours pas, Thémis lui demanda s'il souhaitait d'autres biens.

– Quelques vêtements, des sandales et du natron feront l'affaire.

– Du natron ? Aurais-tu un membre de ta famille à embaumer ?

– Certes non, par Amon ! Mais nous devons nettoyer notre modeste maison à grande eau. Le natron chassera les insectes.

– Tu auras tout cela aujourd'hui même.

Thémis claqua dans ses doigts pour faire venir ses servantes à qui elle distribua des ordres précis.

– Écoutez-moi bien et préparez les jarres et les coffres avant le départ de ce paysan. Vous l'aiderez à charger avant la nuit !

Thémis demanda alors au paysan thébain si ses vœux étaient exaucés.

– Je l'avoue, belle Thémis, répondit Bès. Je suis soulagé d'un grand poids. Tu viens de faire le bonheur d'une famille ! Mes fils viendront te remercier en personne !

– Ce ne sera pas nécessaire, Bès. Moins nous nous rencontrerons, moins nous attirerons l'attention.

– Tu as raison.

Comme le paysan se levait, Thémis se planta devant lui.

– N'oublierais-tu pas quelque chose ? Je t'écoute maintenant, Bès. Parle et ne me cache plus rien !

– Rê va m'obliger à revenir sur des faits douloureux...

– Ne tergiverse pas. Assieds-toi, bois et parle !

Bès vida deux coupes de vin. Il évitait le regard de Thémis.

– Tu n'as pas oublié Kallisthès, qui est un jour venu de Crète après la naissance de la future reine Hatchepsout.

– Comment aurais-je pu oublier ce fat qui prétendait tout savoir ? La mère d'Hatchepsout le consultait pour avoir des enfants, pour soigner Hatchepsout, pour faire construire sa tombe, pour aménager le sanctuaire de Thoutmosis Ier. Que sais-je encore ?

– Il était aussi son amant.

– Et celui qui aurait succédé à Thoutmosis Ier si l'histoire n'en avait décidé autrement ! Sans lui, le complot de Kay et de Séti contre Thoutmosis aurait peut-être réussi.

– Sans aucun doute. Le roi de Crète était prêt à nous aider. Personne n'aurait pu sauver le roi ! Même les peuples du Nord nous auraient secondés !

– Pourquoi évoques-tu cet homme de malheur qui a changé le cours de notre destin et qui nous a contraints à nous exiler ? Le favori de la reine Ahmose et de sa fille Hatchepsout a disparu depuis des années ! Quel rapport ce Crétois a-t-il avec les documents que je recherche ?

– Tu vas comprendre, par tous les dieux.

– Explique-toi, Bès. J'ai hâte de tout savoir. Tu as aiguisé ma curiosité.

Thémis se plaça plus près du paysan pour mieux entendre ce qu'il allait lui dire.

– Les comptes rendus que tu cherches se trouvaient dans la maison familiale de Senmout, l'ancien conseiller d'Hatchepsout, et de son frère Amen.

– Comment est-ce possible ? Personne n'habite plus dans cette demeure restée à l'abandon depuis la mort de Senmout ! On m'a raconté que tous les membres de cette famille ont pris la fuite afin d'échapper à la vengeance de Thoutmosis III qui a presque éliminé tous les conseillers de la reine Hatchepsout.

– Pour que tu comprennes, il faut remonter loin dans le temps à une époque où vivait encore la fille de Thoutmosis Ier, la vénérable Hatchepsout. Tu avais quitté l'Égypte avec ton époux Kay pour fuir la justice de Pharaon qui avait découvert le complot ourdi contre lui grâce à Kallisthès. Séti s'était réfugié avec sa femme, la coléreuse Bêlis, auprès du roi du Mitanni. Lui et ton époux travaillaient alors à la cour du Mitanni. Tous deux se virent envoyer en Égypte pour espionner la reine Hatchepsout. Quoi de plus normal ? Ils étaient devenus des conseillers du souverain mitannien et ils connaissaient parfaitement l'égyptien. Aucun des deux n'osa refuser et avouer à la cour mitannienne qu'ils avaient autrefois échappé à la justice égyptienne. Pourtant, en venant en Égypte, ils craignaient d'être reconnus. C'est ce qui arriva. On racontait dans Thèbes que Séti et Kay étaient revenus et que Kallisthès avait découvert leur retraite. Sentant la vie d'Hatchepsout menacée, il avait consulté les registres afin de prouver à Senmout combien il était urgent d'agir ; Kallisthès n'avait rien laissé au hasard. Il avait regroupé toutes les pièces dont il avait besoin.

– Tu dis vrai, l'interrompit Thémis. Kay et Séti ont bel et bien été envoyés en Égypte par le roi du Mitanni.

– À l'époque, ceux qui connaissaient Kay et Séti en ont douté car au moment où Kallisthès et Senmout sont partis les arrêter, les deux hommes avaient disparu. Ils avaient repris le chemin de l'Asie.

– Ils sont rentrés sains et saufs au Mitanni, répondit Thémis. Mais ces rouleaux ? Senmout les aurait gardés ? Pourquoi ne les a-t-il pas rendus à l'archiviste ?

– Un oubli peut-être.

– N'importe qui peut les trouver ! Comment es-tu si sûr que ces documents sont encore rangés chez Senmout ?

– Je n'ai pas affirmé qu'ils y étaient encore. Je les ai récupérés. Moi aussi j'ai fait rechercher ces textes après la disparition d'Hatchepsout. Je comprends donc ta démarche mieux que personne. Je ne voulais pas qu'ils soient remis à Thoutmosis III. Le pharaon actuel n'a sans doute jamais entendu parler du paysan Bès qui a autrefois trahi son grand-père. Je continue à payer ma dette mais personne ne s'en soucie si ce n'est le scribe chargé de lever les impôts. On ne sait jamais ce qui peut traverser l'esprit d'un pharaon qui a une telle admiration pour son ancêtre. Comment réagirait-il s'il savait que des hommes et des femmes qui ont trahi son grand-père, son modèle, Thoutmosis le premier du nom, vivaient à Thèbes ?

– Serais-tu prêt à me donner ces manuscrits ?

Bès garda le silence. Puis il déclara qu'il les avait presque tous détruits.

– Ne crains rien, dit-il à Thémis. Jamais Thoutmosis III ne lira ces rapports.

À moitié soulagée, Thémis lui arracha une promesse.

– Si tu meurs, je veux que tes fils s'engagent à me remettre les documents et à ne pas les utiliser contre moi ni contre ma famille !

Bès le lui jura au nom de toutes les divinités égyptiennes.

Septième
partie

XIII

Thoutmosis recevait chaque jour des messagers venant du nord de l'Égypte. Il était informé de la moindre tentative de rébellion. Mais tout paraissait calme dans l'empire égyptien : les peuples soumis payaient régulièrement leurs tributs ; les armées étrangères avaient déposé les armes ; les Asiatiques étaient rassurés par la politique du Pharaon qui tenait à respecter les mœurs et les lois de chaque région. Seules de petites querelles internes sans conséquence agitaient le littoral asiatique.

Le roi tint aussi à faire un bilan sur la gestion de son pays. Il convoqua ses principaux conseillers et fonctionnaires, en changea quelques-uns, en reconduisit d'autres, leur donnant à tous des instructions précises. Il rappela à Rekhmirê, en présence de tous les dignitaires, qu'il devait agir selon le droit égyptien, maintenir la justice et l'équité en toute chose, vivre dignement en donnant l'exemple à ses concitoyens, ne pas élever la voix mal à propos, intervenir, au contraire, pour les malheureux, se méfier de ceux qui convoitaient sa place.

Thoutmosis insista une nouvelle fois sur la conduite d'un vizir digne de ce nom, provoquant la gêne de Rekhmirê. Le roi n'était pas sans connaître ses penchants pour sa mère Iset. Le pharaon préférait le voir fidèle à son épouse et respectueux du mariage. Tous deux avaient autrefois passé de nombreux moments de détente avec des filles jeunes et belles. Rekhmirê avait même été l'invité du roi dans le harem royal, situation privilégiée que peu de conseillers avaient connue. Le grand prêtre de Karnak, Menkheperrêsen, avait partagé leurs loisirs. Mais ni le vizir ni le grand prêtre ne devaient plus se permettre d'écarts de conduite. Les Thébains avaient les yeux braqués sur eux. Ils étaient devenus les représentants vénérés d'Amon et de Pharaon.

Iset, qui était présente, s'amusa beaucoup des paroles sérieuses de son fils qui étaient, à ses yeux, un rituel plutôt que des ordres stricts. Elle aimait placer de la fantaisie dans le decorum de la cour. Les mises en garde du roi ne l'empêcheraient pas de rendre visite à Rekhmirê, de partager ses promenades, de suivre l'élaboration de sa tombe, de le regarder pêcher.

– N'oublie pas que tu dois gérer la terre égyptienne qui m'a été léguée par les dieux le mieux possible. Tout repose sur tes solides épaules : la délimitation des terrains attribués à chacun, le contrôle de l'irrigation des champs, la surveillance des labours et des récoltes, la détermination de la crue du Nil, les provisions de céréales.

Le vizir salua le roi pour le remercier et lui rappeler sa fidélité.

– J'ai également décidé, ajouta Thoutmosis III devant une assemblée attentive et silencieuse, que tu aurais le pouvoir de choisir certains fonctionnaires. Cette tâche m'incombait. Je te crois capable de les nommer à ton tour ou de les renvoyer en jugeant de leur efficacité. Tu reçois déjà les messagers qui viennent de toutes les régions de l'Égypte. Tu connais l'activité de chaque nomarque. Tu leur fais connaître mes directives et en assures le suivi. Tu continueras à regrouper les tributs que m'envoient les peuples soumis qui viendront grossir le Trésor et les redevances.

Ne résistant pas aux hommes de pouvoir, Iset lui adressa un regard langoureux et admiratif.

– Enfin, conclut le roi, chacun sait que je vais bientôt repartir en campagne. Nous allons entrer dans la trente-deuxième année de mon règne. Je ne veux pas me hâter. Cette expédition militaire ne ressemblera pas aux autres. Elle sera plus longue et plus difficile. Pour la première fois, un pharaon passera l'Euphrate pour s'aventurer dans l'hostile pays du Mitanni ! Je ne partirai qu'avec une armée et une flotte parfaitement préparées. Mes soldats ont besoin de repos après les campagnes qu'ils ont menées avec succès. Je m'accorde quelques mois avant de repartir. Mais tu dois, en tant que chef responsable de l'armée, choisir les soldats qui partiront bientôt, évaluer la nourriture et la boisson nécessaires à une si longue campagne, renforcer les frontières.

Alors que Rekhmirê allait lui demander le nombre de soldats qu'il voulait entraîner au combat, le roi précéda sa question.

– Je ferai prochainement une évaluation du nombre de recrues dont j'aurai besoin selon les plans que j'aurai établis. Tu seras le premier informé.

Puis Pharaon honora Amon et Rê, encourageant l'assistance à faire de même. Des paroles de paix et de vénération s'élevèrent dans la salle des audiences, la transformant en véritable temple. Les murmures chan-

tonnés se muaient en prières puis en hymnes enthou-
siastes. Chacun acclama alors Thoutmosis III en rappelant dans une longue litanie ses titres et ses fonctions.

L'Horus d'or, Menkheperrê, né sous le signe de Thot
à la forme d'ibis et porteur du nom de Rê, le dieu soleil,
ne s'était jamais senti aussi puissant ni aussi grand. Il
dominait le monde. Il allait l'étendre aux confins de
l'infini grâce à la force que lui insufflait Amon, si sûr de
sa réussite, si convaincu de son invincibilité dans un
voyage vers la prospérité et l'Éternité.

Sheribu observa d'un regard torve les dernières
recommandations que Thoutmosis donnait à Rêthot, le
fils qu'il avait eu avec Kertari. Également agacé par
l'attention qu'il portait au jeune garçon, le prince
Aménophis faisait tourner son cheval en rond. L'animal
agitait vivement sa queue peignée du matin et raclait le
sol de ses pattes avant, ne cessant de baisser et de lever
la tête.

Aménophis II devenait aussi beau que son père. Les
yeux grands et étirés, le torse brun luisant d'huile, le
pagne plissé rehaussé d'une ceinture d'or rappelant le
cartouche de Pharaon, le visage allongé et les pommettes
hautes, il avait toutes les caractéristiques des Thoutmosides. L'entraînement physique que lui faisait subir son
père lui avait musclé les épaules et les jambes.

Rêthot, qui recevait aussi d'excellents cours de gymnastique, avait les épaules larges et les bras puissants.
Mais il ne possédait pas cette fierté naturelle qui plaçait
tout naturellement les princes au-dessus des autres

hommes. Embarrassé et timide devant le roi, il l'écoutait les yeux baissés, le rouge aux joues.

En voyant le fils et le père côte à côte, Kertari ne se sentait plus de joie.

– Peut-être auras-tu un jour un fils qui chevauchera aussi avec Pharaon, dit-elle à Sheribu en se penchant par la fenêtre de la salle principale du harem.

La Mitannienne ne lui répondit pas. Elle se méfiait de toutes les femmes qui l'entouraient. Ayant pris définitivement le parti d'Ishtariou contre Thoutmosis, elle économisait ses mots et gardait un visage impassible qui ne laissait deviner aucun sentiment.

– Tu ne réponds pas ? Le départ à la chasse de Pharaon semble t'affecter. Le roi rentrera, pourtant, dès ce soir et il ne manquera pas de venir nous voir.

– Sans doute, par Hathor. Les déesses de l'amour s'en réjouissent et moi aussi.

Sheribu se glissa dans sa chambre et attendit quelques instants derrière le rideau. Elle entendait encore les ordres de Pharaon qui donnait aux responsables des hyènes et des chiens le signal du départ. Bien qu'elle ait fait mine de se retirer, Kertari demeurait attentive aux faits et gestes de Sheribu. Lorsque celle-ci ressortit de sa chambre en dissimulant un tas de chiffon sous sa tunique, elle décida de la suivre.

Sheribu se plaça de nouveau à la fenêtre et se mit à siffloter. Une femme lui répondit. Elle descendit aussitôt dans le jardin à l'insu de la responsable du harem et rejoignit une Égyptienne excentrique habillée d'une façon étrange. Kertari réussit à peine à l'apercevoir. Elle décida de les rejoindre pour en savoir davantage.

Lorsqu'elle devina leurs paroles tout juste murmurées,

elle se dissimula derrière les arbres. Les chants des oiseaux trop présents l'empêchaient de comprendre ce que les deux femmes complotaient. Elle put enfin distinguer le visage maigre et ridé de l'étrangère.

– Qu'Amon me foudroie si cette femme n'est pas une sorcière !

La vieille Égyptienne se rapprocha alors de l'endroit où se trouvait Kertari. Elle se pencha et commença à gratter le sol. « Si elle avance davantage, elle verra bientôt le bout de mes sandales », se dit Kertari avec angoisse. Elle ferma les yeux comme si elle pouvait ainsi éviter le pire.

– Que cherches-tu ? demanda Sheribu.

– Ce que j'ai enterré près de ces fleurs hier épanouies et qui vont bientôt mourir. Des éléments indispensables pour t'aider à rester stérile.

– Prends ces outils ! dit Sheribu. Le jardinier les a oubliés contre ce tronc. Inutile de t'écorcher les mains et de t'arracher les ongles !

Mais l'Égyptienne n'écouta pas ses conseils. Elle se mit à genoux et creusa la terre avec ses doigts.

– Ne modifie pas les rites. Les livres sont précis. Nous devons observer les rituels autant que le vizir obéit au roi si nous souhaitons réussir. Sinon, les recettes perdent de leur efficacité.

L'Égyptienne déterra bientôt un objet enroulé dans une étoffe.

– Et maintenant, donne-moi ce que tu m'as apporté, dit-elle à Sheribu. Je vais le mettre à la place de celui-ci.

Kertari, qui retenait son souffle, aurait prié Amon toute la nuit pour connaître le contenu du paquet. « Il faudrait que je donne à Pharaon une preuve des agissements de Sheribu. Il comprendrait qu'elle se moque de lui. Jamais aucune femme du harem n'a repoussé le roi. Toutes souhaitent des enfants de Pharaon. De quoi Sheribu est-elle faite pour oser braver les lois sacrées et les privilèges de Pharaon ? Thoutmosis ne lui pardonne-rait pas une telle attitude. »

Kertari était persuadée que ce renoncement à la maternité cachait d'autres secrets plus redoutables encore. « Si Sheribu est capable d'une telle traîtrise, ne prépare-t-elle pas de funestes agissements contre Thoutmosis ? »

L'Égyptienne déroula le chiffon qui entourait l'objet qu'elle venait de déterrer. Kertari ne pouvait bouger. Si elles avaient seulement fait un pas, les deux femmes auraient vu le pan de sa tunique blanche.

– D'où vient cet organe ? demanda Sheribu en faisant un pas en arrière et en détournant la tête comme si l'odeur qui se dégageait de l'objet la gênait.

– Qu'importe, répondit la sorcière. Ce ne sont que recettes secrètes qui ne concernent pas les patients. Contente-toi de répéter les phrases que je vais dire tout en prenant cet objet dans ta main.

– Suis-je vraiment obligée d'y toucher ?

– Par Isis ! Si tu discutes toujours, nous ne parvien-drons à rien !

L'Égyptienne prononça des formules magiques évo-quant l'amour et ses déboires. Puis elle énuméra tous les fruits qui avaient la réputation de rendre les hommes et les femmes stériles. Elle évoqua ensuite les dieux et se mit à les injurier pour le cas où ils n'écouteraient pas ses prières.

Sheribu répéta mot à mot les phrases maudites. L'Égyptienne sortit alors une poupée qu'elle tenait sous son vêtement. Elle enfonça quelques aiguilles d'une longueur étonnante dans son corps en prononçant des formules absconses.

– Tu dois absolument réussir, dit Sheribu avec inquiétude. Attendre un enfant de Pharaon serait pour moi la pire des calamités. Que les déesses m'en préservent !

– Tes raisons ne me regardent pas. Je m'étonne, cependant, de ton choix. Toutes les femmes du harem rêvent de donner des héritiers au roi. Pourquoi veux-tu éviter la maternité ? Aurais-tu peur des déesses Thouéris et Isis qui veillent sur les accouchements ?

– Tu ne me connais guère pour parler ainsi. Je ne crains rien ! Je ne peux t'exposer mes raisons. Elles sont nombreuses et fondées. Je n'ai pas pris ma décision en femme capricieuse.

– Pharaon ne souhaite-t-il pas un fils de toi ?

– Sans doute. Mais il en a déjà tellement !

– On raconte que tu es sa favorite.

Kertari eut envie de protester.

– Je m'en passerais bien ! Thoutmosis est attentionné et tendre. Il me comble de cadeaux. Cependant...

L'Égyptienne espérait en savoir plus.

– Je ne peux en dire davantage. Tu en sais déjà trop. Je ne te donne pas des présents pour te faire des confidences mais pour connaître tes recettes.

– Lis ces prières chaque soir avant de t'endormir, ajouta l'Égyptienne en tendant un rouleau de papyrus à Sheribu. N'oublie pas ! Chaque soir au coucher de Rê !

– Tu prépares parfois des potions pour donner aux hommes une virilité exceptionnelle. N'aurais-tu pas des breuvages qui feraient l'effet inverse et qui endormiraient leurs sens ?

– Bien entendu, par Isis !

– Apporte-m'en demain à condition qu'ils ne soient

pas dangereux pour la santé. Je ne voudrais pas que l'on me reproche de rendre Pharaon malade !

— Au début, les effets se font à peine sentir, rassure-toi. Mais peu à peu, les hommes ont beaucoup de mal à contenter leurs partenaires. Ils s'endorment vite et perdent de leur entrain.

— Voilà exactement ce qu'il me faut !

— Pharaon part bientôt en campagne... Pour combien de temps auras-tu besoin de ces potions ?

— Je ferai peut-être partie du harem d'accompagnement. En ce cas, il me faudra des provisions.

— Et si tu ne pars pas ?

— Je ferai tout pour quitter Thèbes !

Ne comprenant plus rien aux propos de Sheribu, la sorcière osa une dernière question.

— Le meilleur moyen de ne pas attendre d'enfant est pourtant de s'éloigner de Pharaon. Tu ne risquerais plus rien en restant au palais.

Sheribu rougit.

— Cesse de me poser des questions ! Je dois partir ! Il faut absolument que j'accompagne cette expédition militaire ! Absolument !

— On la dit pourtant dangereuse... Les femmes préféreraient sans doute ne pas risquer leur vie en suivant les soldats du roi...

Comme Sheribu lui lançait un regard noir, la magicienne se tut.

— Je t'apporterai demain ce que tu m'as commandé. Ces potions coûtent cher...

— Qu'importe ce détail ! Je te donnerai des bijoux d'un grand prix ! Quitte ces lieux avant qu'on ne te voie !

Kertari ne songeait plus qu'aux paroles mystérieuses de Sheribu. Elle non plus ne comprenait pas l'incohérence de ses propos. Pourquoi Sheribu tenait-elle tant à suivre l'expédition ? Qu'avait-elle à y faire ? Pour avoir elle-même accompagné le roi dans les campagnes, elle savait que les femmes du harem devaient supporter la chaleur, les nuits froides sous les tentes, la vie parfois dure des militaires. Sheribu tenait-elle à voir le Mitanni détruit sous ses yeux alors qu'elle y avait été élevée ?

— Il n'y a qu'un moyen de le savoir, se dit Kertari après que les deux femmes se furent éloignées. Je dois partir avec elle et persuader Pharaon de me choisir dans le harem d'accompagnement !

Elle songea alors à son fils.

— Je dois le protéger. Il a besoin de moi. Après cette chasse, la Grande Épouse royale n'aura de cesse de le tourmenter. Comment admettrait-elle que le roi le traite à l'égal du prince Aménophis ?

Partagée entre Thoutmosis et Rêthot, Kertari implora les dieux de l'aider. Quand elle rentra au palais, Amon lui avait soufflé la solution.

— La responsable du harem prendra soin de mon fils comme s'il s'agissait du sien. J'ai confiance en elle. Je partirai !

XIV

Thoutmosis revint émoustillé de la chasse. Il rapportait une dizaine de gazelles, un lion, et une hyène qui irait grossir sa meute. Dès qu'il sauta de son char, il manifesta le souhait de s'entraîner au tir à l'arc et fit appeler un chambellan.

– Je veux qu'il y ait fête ce soir au palais ! Un banquet comme on n'en a jamais vu avec les meilleurs vins ! Dis aux cuisiniers de préparer les plats qu'ils réussissent le mieux. Qu'on cueille les fruits juste avant le repas pour qu'ils restent juteux comme je les aime ! Prévenez aussi Sheribu. Elle dansera pour moi pendant tout le dîner.

– Pharaon ne veut pas d'autres danseuses ?

– Non !

– Mais Sheribu sera épuisée, Maître des deux Égyptes. Elle ne peut danser toute la nuit !

Le roi planta ses yeux dans les siens, l'obligeant à baisser la tête et à se prosterner à ses pieds.

– As-tu oublié que telle est la position qui sied à un domestique devant Pharaon, Horus d'or ? De quel droit te permets-tu de donner ton avis ?

– Cette parole malheureuse m'a échappé, gémit le chambellan. Pardonne à un être né pour servir Pharaon qui n'a jusque-là jamais failli à sa tâche.

– Relève-toi ! Sache que Pharaon n'est pas inhumain ! Va !

Le roi ordonna à sa garde de l'accompagner. Il voulait faire quelques pas dans son jardin avant de rejoindre le terrain d'entraînement. Il s'assit longuement sur un banc. Méryrêt qui venait d'apprendre son retour l'y rejoignit.

– La Grande Épouse a une heureuse nouvelle pour Pharaon. Elle mettra bientôt au monde un autre héritier de sang royal.

Thoutmosis lui entoura les épaules affectueusement.

– Souhaites-tu des musiciennes et des danseuses ?

– Non, dit-il. Je préfère profiter en silence des senteurs de mes jardins. Je vais m'entraîner au tir. Je n'ai que trop entendu ces chanteuses qui louent mes exploits et interprètent des hymnes pour ma prospérité.

– Ils sont pourtant justifiés. Quand vas-tu repartir pour ta grande campagne ?

– Je n'ai rien décidé. Je voudrais me reposer pendant quelques mois. Les Égyptiens vont devoir s'entraîner dur avant de partir. Je veux que Rekhmirê lève le maximum de recrues. Les vétérans et les plus jeunes partiront avec moi.

Méryrêt redouta le pire.

– As-tu l'intention d'emmener Aménophis avec toi ?

– Je vais y réfléchir. Il me semble encore très jeune. Thoutmosis Ier a fait l'erreur d'entraîner au combat ses deux jeunes fils. Ils en sont morts. Tu me l'as assez répété. Sans cet empressement à trop vouloir bien faire, Hatchepsout n'aurait peut-être pas régné sur l'Égypte. Un homme aurait régenté le pays d'une main de fer !

– Mais je n'aurais peut-être pas été là pour accompagner Pharaon dans sa longue course terrestre...

– Par les dieux, de tout malheur Isis sait tirer le jus du meilleur fruit. Tu me combles en me donnant encore un enfant.

– Les déesses de l'amour ne nous arrêteront pas en si bon chemin !

– J'ai donné des ordres pour le banquet de ce soir. Je veux qu'il soit exceptionnel. Il sera donné en ton honneur pour fêter l'heureux événement que tu viens de m'apprendre. Cette partie de tir à l'arc va me mettre en appétit !

Dans sa chambre, Kertari tournait comme une lionne impatiente. Elle refusait de remettre au lendemain sa discussion avec le roi.

– Comment vais-je le convaincre de m'emmener en Asie ? Si je lui parle de ce que j'ai entendu aujourd'hui, il ne me croira pas. Il fait confiance à cette Sheribu !

Contre toute attente, Kertari reçut un message du roi.

– Sa Majesté t'attend, lui dit le scribe Tianou.

Kertari revêtit sa plus belle tunique longue et plissée dont les bretelles dissimulaient à peine ses seins. Elle choisit une perruque épaisse et frisée qu'elle plaça elle-même sur sa chevelure et se parfuma abondamment.

– Kertari ! Je dois te féliciter, lui dit Thoutmosis. Tu as donné une parfaite éducation à ton fils. Rêthot sait parfaitement monter à cheval. Il maîtrise sa monture avec une habileté inouïe. Il pourrait même donner des leçons à Aménophis. Je n'en ai pas parlé à la Grande Épouse qui s'en serait offusquée. Mais j'avais hâte de te dire à quel point j'admirais la manière dont Rêthot se comporte. Il est attentif, intelligent, courageux alors que je le pensais timoré et peureux. En réalité, il sait écouter quand les garçons de son âge ne songent qu'à piailler. Il réfléchit avant d'entreprendre une action. Sa maturité et son adresse lui ont permis de tuer ce matin deux gazelles !

– Tout le mérite t'en revient, Roi tout-puissant. S'il n'avait pu bénéficier de l'enseignement des meilleurs maîtres du palais, Rêthot ne serait pas aussi fort.

– J'ai donc pris une décision capitale en le voyant chasser. Elle m'est apparue comme l'étoile Sobkit le premier jour de l'année. Aussi évidente. Les dieux ont illuminé mon *ka*.

Kertari ne comprenait pas.

– J'ai décidé d'emmener Rêthot lors de ma prochaine campagne. Il accomplira des exploits ! Le prince Aménophis, apparemment plus robuste et plus audacieux, manque de maturité. Sa fougue l'entraînerait dans l'Au-Delà. Je suis sûr que Rêthot saura se comporter avec talent.

À la fois fière et angoissée par ce que le roi venait de lui apprendre, Kertari lui fit remarquer, elle aussi, que leur fils était très jeune. Mais elle vit également l'occasion inespérée de partir en campagne avec Pharaon.

Comprenant que le roi ne reviendrait pas sur sa décision, elle le supplia de l'accepter dans le harem d'accompagnement.

– Je serai ainsi proche de mon fils même si je le vois peu. Accorde cette faveur à une mère protégée par les déesses.

– Je n'y vois aucun inconvénient, répondit Thoutmosis. Il me plairait de t'avoir à mes côtés même si mon harem est déjà constitué.

Kertari n'en espérait pas plus. Elle se montra tendre

avec le pharaon et lui demanda l'autorisation de le servir pendant toute la nuit.

– Cette nuit sera très entamée par le banquet que j'ai l'intention de donner en l'honneur de la Grande Épouse Méryrêt-Hatchepsout II, dit Thoutmosis, manifestement d'excellente humeur.

– En l'honneur de la reine, par Isis ! Pouvons-nous en connaître la raison, aîmé d'Amon, Grand parmi les Grands, Élu des dieux ?

– Je ne rendrai cette nouvelle publique que ce soir. Cependant, je peux bien te l'annoncer car les médecins sont déjà au courant et la rumeur va vite courir dans les rues de Thèbes.

– Les médecins ?

– Oui. Sache, belle Kertari, que la Grande Épouse attend un nouvel enfant et que Pharaon aura bientôt un deuxième héritier. Méryrêt songe déjà à combler le roi une troisième et une quatrième fois... N'a-t-elle pas raison d'être prudente ? Dans notre pays, les enfants meurent souvent en bas âge. Les princes partent trop tôt briller au combat...

Kertari pâlit. Comme toutes les femmes du harem, sans doute comptait-elle mettre un jour son fils sur le trône d'Égypte.

– Quelle grande joie pour le peuple égyptien ! dit-elle d'une voix cassée qui tremblait légèrement.

– Ton émotion montre à quel point tu es dévouée à Pharaon. Nous allons ensemble partager notre enthousiasme dans une longue, très longue soirée à la gloire des dieux et du futur prince.

– Ou de la future princesse...

Thoutmosis éclata de rire.

– Hatchepsout et sa mère Ahmose ne savaient faire que des filles. Les Thoutmosis font des garçons !

– Ce sera donc un prince puisque tel est le désir de Pharaon.

Thoutmosis trouva Kertari très belle dans sa tunique moulante. Elle avait depuis longtemps retrouvé sa finesse chère au cœur du roi qui aimait les femmes graciles. L'apparente fragilité de Kertari la faisait ressembler à ces adolescentes dont il appréciait l'immaturité et l'inexpérience.

– Quand les courtisans auront trop bu et que les danses ou les plaisanteries deviendront lassantes, j'irai te rejoindre. Attends-moi et prépare-toi. Je veux que tu sois aussi émerveillée que lorsque je t'ai connue pour la première fois. Ne me fais pas regretter ma décision de t'emmener en campagne...

– As-tu une seule nuit regretté de te trouver à mes côtés ?

– Hathor dicte tes mots. Tu as raison. Tu ne m'as jamais déçu. Tu as su, au contraire, m'étonner, m'aimer tendrement et te soumettre à mes désirs.

– Il en sera toujours ainsi, Grand Maître de Haute et Basse Égypte.

Kertari se retira en laissant le roi méditatif.

« Comment Aménophis se comporterait-il s'il régnait avec moi ? En aura-t-il un jour l'occasion ou serai-je tué dans une campagne qui lui ouvrira les portes d'un immense empire ? Aménophis est encore jeune pour se retrouver seul à la tête de ce pays et Méryrêt ne ferait pas une bonne régente. Je la crois attentive et intelligente mais serait-elle assez ferme pour diriger des hauts fonctionnaires habitués à m'obéir ? Il lui serait impossible de mener une armée à la guerre. Amon, écoute-moi. Ne brise pas mes élans de l'autre côté de l'Euphrate. Aménophis n'est pas prêt. Il a encore besoin de son père avant de s'installer sur le trône. Dans quelques années, si tu décides de me présenter devant Osiris, je serai à tes ordres. »

Le roi qui se montrait si sûr de lui face à son entourage, sentit la nécessité d'aller prier Amon à Karnak avant de rejoindre le terrain d'entraînement. Lui seul était capable d'aider le maître de l'empire le plus grand de la Méditerranée.

XV

Quelques mois plus tard, alors que le roi entrait dans sa trente-troisième année de règne, les Thébains purent acclamer une nouvelle fois le fabuleux défilé militaire de Pharaon. Reposé, prêt, conscient de se retrouver à la tête d'une armée exceptionnelle choisie par Rekhmirê, Thoutmosis se tenait debout dans son char en or. Il se laissait acclamer, saluait la foule, prenait le temps de se montrer dans sa grande majesté. Ses somptueux chevaux, d'un noir luisant, aux harnachements d'or, marchaient au pas, la tête aussi haute que celle de leur maître comme si les vivats étaient pour eux. Les Thébains s'approchaient parfois si près en tapant des mains que les gardes étaient contraints d'intervenir.

Derrière lui venaient les chars des archers et les fantassins. Tous avaient revêtu le même pagne blanc. Quand il arriva à la sortie de Thèbes, le roi se dirigea vers l'embarcadère royal. Il plaça son char face à ses troupes et les harangua très distinctement.

– Sous l'œil bienveillant d'Amon une partie de l'armée partira comme prévu par les anciennes voies autrefois empruntées par mes ancêtres pharaons. Que les détachements désignés avancent. Soldats ! Vous allez partir en éclaireurs. Soyez vigilants et attentifs ! Afin que les fantassins qui progresseront en direction de Gaza et du pays de Retenou ne se fassent pas attaquer, compromettant ainsi nos chances de succès au Mitanni, vous devrez me faire un compte rendu très précis de la moindre rébellion. Je ne tolérerai pas une seule insulte envers Pharaon !

Le roi attendit le départ des détachements. Il précisa très clairement au chef militaire qu'il le retrouverait à Byblos.

– Nous avancerons moins vite que vous en empruntant le fleuve. Je vous laisserai faire le travail de préparation avant de mouiller dans le port asiatique. Je me suis assuré que nos nouveaux bateaux étaient prêts. Ils seront tous construits en bois de cèdre.

Pendant toute la matinée, le pharaon surveilla l'embarquement des soldats. Les bateaux égyptiens étaient alignés le long du Nil. Leur coque effilée, souvent peinte d'un œil oudja, tapait bruyamment sur la surface de l'eau grise.

– On dirait que le vent va se lever, dit Amenmen en regardant le ciel. Ces bourrasques sont étonnantes. Amon nous enverrait-il un message ?

– Il s'agit alors d'un message favorable car je lui ai adressé de nombreuses prières et le grand prêtre m'a convaincu que les dieux seraient avec nous. Sans doute les divinités font-elles lever ce vent pour que nous soyons plus vite rendus en Asie.

La poussière se souleva d'un seul coup en faisant de nouveau clapoter les barques. Le vent s'engouffra dans les voiles triangulaires ou carrées largement déployées. Les femmes du harem qui embarquaient tinrent les voiles de leur tunique. Le lin en était si fin qu'il risquait de se déchirer.

Thoutmosis suivit des yeux toutes les filles qu'il avait choisies. Sheribu marchait en tête, le port altier, le regard fier. Ne voulant pas s'en laisser conter, Kertari l'imita. Elle cherchait son fils des yeux tout en montant dans le navire qui ballottait.

Rêthot avait le privilège de se trouver auprès du roi. Amenpafer s'était entraîné avec lui. Leurs chars suivaient immédiatement celui du roi. Dans cet enthousiasme collectif, seuls Aménophis et sa mère demeuraient moroses. Aménophis ne pouvait tolérer la préférence que son père accordait à Rêthot. Méryrêt se demandait même si elle avait fait le bon choix en incitant Pharaon à ne pas emmener son fils au combat.

– Le roi ton père estime que tu dois apprendre à Thèbes ton métier de prince avant de partir sur les champs de bataille. Mais je te promets que tu chevaucheras bientôt avec lui. Pharaon tout-puissant voulait t'emmener. J'ai tenté de l'en dissuader. Ta vie est trop précieuse pour la mettre en péril. Si Rêthot meurt, le destin de l'Égypte ne changera pas. En revanche, ta disparition provoquerait un deuil national. Tous les Égyptiens pleureraient l'héritier du trône !

Aménophis parut rassuré.

– Tu as raison, lui dit-il. Rêthot n'est qu'un soldat parmi d'autres. Comme tous ces ouvriers ou ces paysans au service de Pharaon.

– Et toi tu es le futur pharaon, ne l'oublie jamais.

Le pharaon remonta très rapidement vers le nord. Il gagna le pays de Retenou en quelques jours. Il s'assura de la fidélité des habitants de Homs et de Kadesh, fit

133

entendre raison à deux princes de la région, plus jeunes et plus rebelles que les autres. Mais alors que le roi poursuivait sa progression, les espions qu'il avait laissés derrière lui pour contrôler la situation le rejoignirent à toute allure.

Amenmen accourut sous la tente du roi qui se reposait en compagnie de quelques chanteuses nues.

— Que se passe-t-il, Amenmen ? Tu ne me dérangerais pas si ce n'était pour une excellente raison !

— En effet, maître. Un village au sud de Gaza a osé se révolter et prendre les armes contre toi ! Croyant que tu avais négligé de laisser derrière toi des soldats égyptiens, ils songent sans doute à t'attaquer...

— Les lâches ! Ils méritent une leçon. Nous ne pouvons nous permettre de perdre du temps. Amenmen ! Prends la tête d'un détachement et va les combattre !

— Je crois surtout que ces Bédouins ont vu une occasion de ne plus payer leurs tributs à Pharaon !

— Je les doublerai ! Pars au plus vite ! Nous progresserons lentement en attendant ton retour. J'espère que nous ne rencontrerons pas de résistance.

Amenmen obéit aussitôt aux ordres de Pharaon. Le roi leva le camp dès qu'il fut parti. Voyant passer une armée égyptienne peu impressionnante en nombre, certains roitelets firent circuler l'information et décidèrent de combattre Thoutmosis. Des soldats arrivèrent même du Mitanni pour les aider. Ayant jusque-là fait face à de rares rebelles faciles à mater, le roi égyptien comprit, en arrivant aux environs d'Alep, qu'il devrait livrer la première bataille importante de sa campagne.

Sage et réfléchi comme à son habitude, le pharaon préféra se reposer pendant une longue nuit avant de rencontrer l'armée ennemie. Il n'avait pas l'intention de subir son assaut. Aussi réunit-il son armée à l'aube et donna-t-il aussitôt l'ordre aux conducteurs de chars de foncer sans pitié sur l'adversaire.

Porté par la fougue, l'enthousiasme et la force, Thoutmosis comprit qu'Amon allait l'assister et l'aider. Se sentant plus puissant, il encouragea Pathmès qui lança ses chevaux au galop. Son char léger et étroit rebondissait sur le sol irrégulier.

– Nous allons perdre les roues ! hurla Pathmès. Nous devons ralentir sinon nous nous écraserons devant l'ennemi et tu mourras sous une pluie de traits bien ajustés !

– Qu'Amon te ferme la bouche, Pathmès ! Accélère, au contraire ! L'adversaire n'a pas encore envoyé une flèche ! Il est effrayé par la rapidité et l'assurance de Pharaon habité par Amon !

Affolés, incapables d'unir leurs forces, les chefs ennemis répliquèrent sans conviction à l'assaut de Thoutmosis. Pris de panique, leurs soldats s'enfuirent en abandonnant leurs armes. Les Égyptiens tuèrent tant de fantassins et d'archers aux premiers rangs que les cadavres formèrent bientôt une barrière humaine entre le roi égyptien et les hommes qui tentaient encore de l'atteindre.

– Qu'on dégage le terrain ! cria-t-il. Aucun de ces traitres ne m'échappera !

Pathmès lui conseilla d'arrêter le combat. Il avait largement montré sa supériorité. Il ne devait pas réclamer davantage à Amon. Rouge de colère, Thoutmosis s'empara du fouet que le cocher faisait claquer au-dessus de la tête de ses chevaux. Il allait en frapper Pathmès pour le punir quand le regard étonné de Rêthot l'arrêta. Le cocher n'avait pas mérité un tel châtiment.

– Tu as été brillant, lui dit finalement le roi. Contente-toi de conduire mon char et d'entretenir mes chevaux. Les dieux ne t'ont pas désigné pour diriger ce pays ni son armée mais pour me servir ! J'ai toléré tes impertinences pendant des années. Aujourd'hui, ce temps est révolu. Je ne te pardonnerai plus rien !

Malgré les fatigues du combat, le roi voulut reprendre sa route le lendemain. Plus il approchait de l'Euphrate, plus son excitation était grande. Le long cortège avançait lentement, ralenti par les bêtes lasses et les bateaux construits à Byblos, transportés sur des chariots solides auxquels étaient attelés des bœufs robustes.

En avançant dans le désert, Thoutmosis guettait l'horizon. Maintes fois, il avait cru apercevoir de l'eau mais ce n'étaient que mirages. Un soir cependant, le fleuve Euphrate lui apparut. Il s'arrêta, émerveillé, et regarda autour de lui.

– Thoutmosis Ier est venu jusqu'ici. Il a contemplé ce paysage. Il a dû affronter, lui aussi, cette pénible marche dans le désert.

Le roi atteignit enfin les rives du fleuve. Les bêtes et les hommes s'y précipitèrent pour se laver et se désaltérer.

– Ne vous attardez pas ! leur recommanda le roi, plus prudent. De l'autre côté de cette rive se dressent les remparts de citadelles imprenables. Leurs habitants nous attendent pour nous repousser. Si nous réussissons à nous emparer de ces villes fortifiées, Amon nous guidera dans le rebelle pays du Mitanni. Mais nous n'en sommes pas là !

Thoutmosis savait qu'il n'avait pas beaucoup de temps devant lui. Il réfléchit pendant toute la nuit à la manière dont il attaquerait ces premières places fortifiées situées aux portes du Mitanni. Amon l'éclaira à l'aube du jour décisif.

– Je dois attaquer comme je l'ai fait dans le pays de Retenou ! Ne pas laisser à l'ennemi l'occasion de nous contrer ! Monter à l'assaut de ces murs gigantesques sans craindre les flèches de l'ennemi. Grimper si vite sur nos échelles que les adversaires n'auront pas le temps de nous tuer ! Nous protéger avec ces boucliers efficaces qui cachent notre corps ! Sans doute les habitants de ces forteresses sont-ils nombreux. Il ne faut pas y songer. Je ne peux me permettre de faire ici un long siège comme à Meggido !

Fort de ses réflexions et persuadé d'avoir fait le bon choix, priant celui qui le mènerait à la victoire totale, Thoutmosis III harangua ses troupes, les disposa en ordre de bataille et ordonna le passage du fleuve puis l'assaut de la forteresse.

Les soldats égyptiens appliquèrent leurs échelles le long des épaisses murailles et réussirent à dominer leurs adversaires. À ce moment, un héraut arriva auprès du roi.

– Des Mitanniens ont traversé l'Euphrate. Ils sont en train de rudoyer les rares soldats qui ne se battent pas dans la forteresse ! Ils sont entrés dans notre camp !

Furieux, le roi ordonna aux archers d'achever leur carnage à l'intérieur de la ville puis il renvoya ses fantassins vers le camp égyptien.

– Allons donner une leçon à ces Mitanniens ! Tuez-les sans hésitation !

Amenpafer qui se trouvait auprès de lui frémit. Il ressentait de nouveau cette sensation étrange qui retenait son bras face à l'adversaire.

— Si tu te montres aussi rêveur sur le champ de bataille, tu seras tué ! lui dit Thoutmosis. Je poursuivrai ces Mitanniens jusqu'à ce qu'ils aient reçu une leçon ! Je les suivrai jusque dans leur ville pour leur montrer qui est Pharaon !

Apeurés, les Mitanniens s'enfuirent en voyant Pharaon arriver vers eux. Le roi regroupa aussitôt son armée et les prit en chasse. Quand il eut traversé le fleuve et placé une garnison dans la forteresse vaincue, Thoutmosis avança vers le Mitanni. Il s'arrêta aux portes de la capitale.

— Je suis sûr que le chef tremble dans son palais ! dit Thoutmosis à Amenpafer. Nous pouvons nous retirer. Il a reçu une bonne leçon !

Comme le Mitannien s'étonnait de cette décision, le roi lui sourit malicieusement.

— Je vois que Pharaon a encore des astuces à t'apprendre. Nos soldats sont fatigués. Ils ont bien combattu mais je doute qu'ils soient prêts à poursuivre une campagne si importante sans avoir pris de repos. Nous nous sommes trop éloignés de notre camp. C'est dangereux ! Je préfère attendre le retour d'Amenmen.

Quand il rentra au camp, Rêthot l'attendait. Il avait veillé sur les soldats et les prisonniers. Il tenait une large stèle.

— Regarde, grand Pharaon, dit-il à Thoutmosis. Que lis-tu sur cette pierre lisse ?

— Que je viens d'arriver sur cette terre ennemie à l'égal du sublime Thoutmosis Ier.

– Ton illustre ancêtre avait marqué son passage de plusieurs inscriptions commémoratives. Pourquoi n'en ferais-tu pas autant ? Tu vas agrandir l'empire, aller là où aucun Égyptien n'a osé se rendre ! Que nos descendants soient informés de tes exploits !

– Tu as raison, mon fils, dit le roi avec enthousiasme. Profitons de nos jours de repos pour placer ici même des inscriptions qui laisseront une trace de notre passage. Mais quel artiste pourrait graver de telles inscriptions ?

– J'ai trouvé un excellent sculpteur dans la ville fortifiée. C'est ton prisonnier ! Embauche-le pour réaliser un bas-relief ou une stèle. Ce sera pour lui une manière de te rendre hommage et de reconnaître ta supériorité !

L'idée plut au pharaon qui convoqua Tianou avant de faire venir le prisonnier devant lui. Il lui expliqua ce qu'il souhaitait. L'homme, âgé et bougon, ne prononça aucune parole. Il exécuta, cependant, les ordres du roi égyptien sous la surveillance de Rêthot.

XVI

Kertari n'était pas mécontente des jours de repos que le roi avait accordés aux soldats. Elle jugeait leur parcours fatigant et trouvait que le Pharaon mettait ses hommes à dure épreuve. « Rêthot ne résistera pas à une telle campagne. C'est la première fois qu'il part guerroyer. Je redoute le pire. »

Alors que les militaires se préparaient pour la fête qui célébrerait la supériorité du roi en Asie, les femmes du harem achevaient leur coiffure. Certaines avaient choisi une perruque mi-longue aux boucles serrées, d'autres des postiches courts et lisses, noirs comme des nuits sans lune. D'autres encore osaient le port des cheveux longs et libres. Bien qu'elles fussent sans conteste les moins sophistiquées de toutes, Sheribu et Kertari restaient les plus belles.

Comme elle était prête avant les autres, Sheribu quitta sa tente sous prétexte de faire quelques pas à l'extérieur.

– Ne t'éloigne pas, lui dit celle qui avait été désignée par la Grande Épouse royale pour régenter ces femmes parfois impitoyables les unes envers les autres. Pharaon vous a interdit de vous approcher du campement militaire.

Sheribu marmonna des mots inaudibles pour l'assurer de son obéissance au roi. Dès qu'elle fut sans surveillance, elle marcha nonchalamment vers la tente royale, plus large et plus haute que les autres. Kertari demanda, elle aussi, la permission de prendre l'air avant la cérémonie. Elle attendit que Sheribu ait disparu pour la suivre.

Il ne faisait pas encore trop chaud. L'air était tiède et l'horizon bien dégagé. Les ânes somnolaient debout. On distinguait, au loin, un vacarme d'armes entrechoquées, les soldats se hâtant de satisfaire leur chef.

Sheribu approchait de la tente de Thoutmosis. Elle paraissait hésiter.

– Que fait-elle donc ? murmura Kertari très intriguée. Pourquoi rôde-t-elle ainsi près de la tente royale ? Aurait-elle l'intention de nuire à Thoutmosis ?

Elle l'entendit alors chantonner le couplet d'une vieille chanson mitannienne. Quand Sheribu se retourna, Kertari eut juste le temps de se dissimuler derrière une tente. Puis elle la vit parler à l'un des gardes qui surveillaient l'entrée du camp.

– Elle s'égare. Si jamais le roi apprend cette fantaisie, Sheribu sera sévèrement punie. Comment peut-elle avoir une telle audace ?

Il lui sembla que la Mitannienne glissait un objet dans la main du garde. Malgré les ordres, celui-ci la laissa sortir.

– Je ne puis le croire, par Isis ! Où va-t-elle ?

Sheribu ne resta pas longtemps absente. Elle donna de nouveau un présent à la sentinelle puis elle revint d'un bon pas vers le harem d'accompagnement.

À cet instant, le pharaon sortit de sa tente sous un concert de cymbales. Kertari se hâta, elle aussi, de regagner le harem.

– Où est donc Kertari ? demanda la sévère Égyptienne

responsable des femmes de Pharaon à Sheribu. Tu t'es absentée trop longtemps !

– Comment saurais-je où se trouve Kertari ?

– Elle est sortie juste après toi.

– Je ne l'ai pas vue, répondit Sheribu d'une voix blanche.

Comprenant la situation, Kertari, qui venait de pénétrer sous la tente, s'excusa. Elle prétendit qu'elle n'avait pas résisté à la tentation de voir son fils et de le féliciter. Elle évita de croiser le regard de Sheribu et jeta une cape en soie sur ses épaules nues.

Toutes les femmes montèrent dans leur char. Les cochers attendirent que le cortège de soldats fût passé devant eux pour prendre la file. Thoutmosis avançait en tête, le port altier, en tenant ostensiblement les attributs du pouvoir.

Les Égyptiens quittèrent le camp et se dirigèrent vers un endroit précis. Quand ils y arrivèrent, le roi descendit le premier de son char et fit appeler le sculpteur asiatique.

– Tu as gravé pour Pharaon une stèle élogieuse qui va rejoindre celle que nos artistes égyptiens avaient réalisée en mon honneur juste avant mon départ. Là, mon grand-père, le brillant Thoutmosis Ier a également été vénéré et acclamé. Que la postérité se souvienne de nos exploits et du fait que l'Égypte va désormais s'étendre au plus profond de l'Asie. Les Mitanniens perdront bientôt leur indépendance. Tous les Asiatiques seront soumis à Pharaon.

Kertari s'étonna du mouvement d'humeur d'Amenpafer alors que Rêthot approuvait son père sans réserve. Elle se rendit compte que Sheribu avait de nouveau disparu. Tandis que les soldats s'alignaient devant l'emplacement choisi par Thoutmosis, là où devaient être placées les stèles, Kertari déjoua la vigilance de l'assemblée et contourna un amas de rochers. Non loin de là, elle reconnut la silhouette de Sheribu. Quelle ne fut alors pas sa surprise de la voir enlacée par un inconnu.

— Par Isis, que signifie ceci ? On dirait que cet homme est un ennemi de Pharaon. Il porte le vêtement et les armes des Mitanniens ! Comment Sheribu, qui ne quitte jamais le palais thébain, aurait-elle pu faire la connaissance d'un étranger ? L'aurait-elle rencontré lors d'une précédente campagne ? Comment est-ce possible puisque les femmes du harem ne sortent jamais ?

Les deux jeunes gens restèrent quelques instants l'un contre l'autre sans rien dire.

— Tu prends trop de risques, dit Sheribu à Ishtariou. Ton messager a osé se hasarder tout à l'heure jusqu'aux portes du camp. Il m'a fallu soudoyer un garde.

Ishtariou la rassura. Le piège allait bientôt se refermer sur le pharaon.

— Il est trop ambitieux. Sa démesure entraînera sa perte ! Tu retrouveras bientôt ton ancienne ville du Mitanni. Tu pourras t'y installer de nouveau tandis que le roi égyptien sera prisonnier des Asiatiques.

— Sans toi, nous aurions été condamnés, mon frère et moi. Amenpafer m'a raconté comment il avait réussi à te joindre et comment tu avais accepté de convaincre les habitants des ports de se plier aux volontés de Pharaon. Le roi l'a fait revenir à Thèbes et l'a récompensé.

— Ishtar ne m'a guère facilité le travail ! Ces gens-là ne comprenaient pas mon point de vue ! Les décider à baisser les armes et à verser un tribut à l'Égypte sans se défendre ! J'ai dû leur expliquer que la vie de mes complices étaient en jeu, des complices sans qui il leur était impossible de s'imposer de nouveau en Asie. Je leur ai également promis un sort particulièrement faste dès que Pharaon serait devenu notre otage !

La voix d'Amenpafer s'éleva après un silence de recueillement total.

– Mon frère lit le discours en l'honneur du roi, dit Sheribu. Il l'a écrit lui-même avec le scribe Tianou. S'il connaissait ta présence ici, il serait venu te remercier en personne.

– Il nous remercierait tous en prenant enfin notre parti contre Pharaon !

– Je le sais mieux que quiconque, Ishtariou. Je suis convaincue qu'il finira par trahir Thoutmosis et que nous vaincrons avec lui.

– Que les dieux entendent tes sages paroles ! Et maintenant rejoins le groupe. Ne souffle mot à personne de notre rencontre, même pas à ton frère. Sache que je serai toujours là pour te protéger si tu as besoin de moi.

Ishtariou disparut. Sheribu demeura immobile. Elle paraissait très perturbée par cette rencontre.

« Voilà la preuve que Sheribu a des complices parmi les Asiatiques », se dit Kertari.

Toutes deux rejoignirent discrètement l'assemblée. Amenpafer venait de terminer son discours. Les stèles furent déposées contre les rochers en grande pompe. Un banquet suivit. Quand le cortège regagna le camp, Thoutmosis crut déceler sur les rives du fleuve un troupeau de bêtes. Son âme de chasseur ne résista pas à la tentation de les approcher.

Le roi avança seul le long de la rive et assista avec joie à la baignade de plusieurs éléphants. Il revint vers

Amenmen et lui avoua qu'il serait comblé s'il pouvait rapporter en Égypte ce troupeau d'éléphants ainsi que l'avaient fait autrefois d'autres pharaons.

– Quel magnifique don je ferai à Amon !

– Nous ne pourrons sans doute pas tous les capturer. Ils doivent être plus d'une centaine. Mais nous en prendrons quelques-uns si nous nous montrons astucieux et vigilants.

– Que proposes-tu ? Nous pourrions les attaquer tout de suite !

– Je te le déconseille, Seigneur. Ces bêtes chargeraient ou s'enfuiraient et nous les perdrions pour toujours. Elles doivent venir chaque soir se désaltérer et se baigner dans l'eau du fleuve. Revenons demain avec quelques bons chasseurs.

Heureux de la perspective d'une telle partie de chasse, Thoutmosis rentra au camp, le cœur léger. Il envoya aussitôt Tianou au harem.

– Pharaon t'attend, dit-il à Sheribu qui se doutait que le roi profiterait de ces moments de repos pour la convoquer.

Apprêtée et parfumée, la jeune femme suivit le scribe sans réticence. Elle songeait à Ishtariou. Sa rencontre avec le jeune Mitannien lui avait redonné espoir. Maintenant qu'il vivait loin du palais égyptien, son absence lui paraissait insupportable. Soumise et docile, elle n'en obéissait pas moins à Thoutmosis en se donnant pour mission d'exciter ses sens et de calmer ses colères pour mieux le tromper.

– Tant que Thoutmosis sera attiré par moi, je pourrai détourner son attention.

XVII

Sheribu passa toute la journée du lendemain en compagnie de Pharaon. Celui-ci se complut à écouter les musiciennes du harem. La Mitannienne dansa pour lui en tenue légère et partagea sa couche.

— N'ai-je pas mérité un tel repos ? demanda le roi à Amenmen qui était venu le rejoindre à la fin de l'après-midi.

Le chef militaire l'encouragea à prendre du plaisir entre deux batailles.

— Ainsi le dieu de la guerre ne hante-t-il pas ton esprit. Il est inutile de l'encombrer de plans d'attaque tant que tu es en repos.

— Viens-tu m'annoncer que le troupeau d'éléphants a rejoint les rives du fleuve ?

— Tu as deviné, Grand Roi. Mais si tu préfères la compagnie de Sheribu, je vais me retirer...

— Allons donc ! Depuis quand renoncerais-je à une partie de chasse aussi excitante ? Je suis déjà debout ! Qu'on m'apporte mon pagne et mon arc. Dans quelques instants, je serai sur mon char. Inutile de prendre un cocher. Je conduirai seul mon cheval vers les rives de l'Euphrate !

— Je te conseille toutefois de prendre un bon détachement avec toi car nous avons compté les bêtes. Elles ne sont pas moins de cent cinquante ! Imagine la force de ces animaux ! Tu n'es plus habitué à les combattre car les Égyptiens n'en ont plus vu depuis des années aux alentours de Thèbes...

– Mais nous combattons des lions ! Qu'y a-t-il de plus dangereux qu'un fauve ?

Amenmen lui recommanda la prudence. Puis il rejoignit ses hommes. Le défilé quitta bientôt le camp avec Thoutmosis à sa tête. Les soldats chantaient, heureux de voir leur roi dans de si bonnes dispositions.

Quand ils arrivèrent aux abords du fleuve, certaines bêtes, intriguées, commencèrent à s'agiter. Quelques éléphants quittaient le fleuve pour gagner la terre, faisant face aux chasseurs égyptiens.

– Chargeons tout de suite ! dit Thoutmosis. Je veux en rapporter le plus possible à Thèbes !

Les chasseurs lancèrent leur char au galop tout en ajustant leurs flèches. Mais les traits ne semblaient guère troubler les animaux à la peau épaisse. La charge les effraya. Les chasseurs en tuèrent un grand nombre sur la terre ferme. Thoutmosis donna l'exemple en entrant dans l'eau avec son épée. Il frappait à droite et à gauche, semant la panique parmi le troupeau. Alors qu'il s'approchait d'un éléphanteau, la mère surgit derrière lui.

– Attention Horus d'or ! cria Amenmen en se précipitant vers lui. Cet animal va t'écraser d'un seul coup de patte. Sauve-toi !

– Pharaon ne court pas devant l'ennemi, encore moins devant une bête ! Il m'est impossible de bouger !

Coincé entre le reste du troupeau et l'éléphant qui s'apprêtait à marcher sur lui, le roi leva son épée vers l'animal qui barrissait d'une manière effrayante. L'épée de Thoutmosis se brisa dans un geste maladroit. Amenmen se précipita entre l'éléphant et le roi. Il taillada à plusieurs reprises la peau de l'animal qui gémit avant de se retourner et de prendre la fuite.

– Tu m'as encore une fois sauvé la vie, Amenmen, lui dit le roi reconnaissant. Tu auras tout ce dont tu rêves depuis des années : de l'or, de riches vêtements, des bijoux, des tables en cèdre. Fais-moi la liste de ce que tu souhaites le plus et donne-la à Tianou. Dès notre retour à Thèbes, tes désirs seront comblés !

Amenmen le remercia et lui conseilla de rappeler ses hommes. Il avait réussi à prendre un bon nombre d'éléphants. Amon serait satisfait.

– Comment allons-nous les acheminer jusqu'au Mitanni ? Ils vont nous encombrer.

– Rassure-toi, Amenmen, j'ai tout prévu. Un escadron va retourner en Égypte et donner ces animaux au grand prêtre de Karnak. Il reviendra ensuite nous rejoindre au Mitanni. Je compte bien aussi lui confier nos prisonniers.

– Ils sont nombreux en effet.

– Et ils le seront davantage dès que j'aurai de nouveau soumis les peuples qui tentent de se soulever à Kadesh et dans la région de Tikesi.

– Que veux-tu dire ? Aurais-tu des informations que j'ignore ?

– Oui. Je vais m'emparer d'une autre citadelle de l'autre côté de l'Euphrate puis je passerai par le pays de Tikesi. Je pourrai alors rentrer à Thèbes.

Le roi appela de nouveau le scribe Tianou et lui fit part de sa volonté de placer une grande stèle commémorant ses actes glorieux dans le temple de Karnak.

– Elle sera placée à côté du *naos* d'Amon. Commence à en écrire le texte. Je le ferai compléter par un artiste de la cour.

Tianou parut vexé.

– J'ai moi-même écrit des textes de poésie...

– Voyons alors ce que tu composeras. J'aviserai ensuite. Parle d'Amon. Raconte ce qu'il aurait envie de me dire au moment de mon retour à Thèbes. Rappelle l'amour que je lui porte, la protection dont il m'entoure, la faiblesse dont il afflige mes ennemis. Grâce à Amon, je lie les mains et les chevilles de milliers de prisonniers, je les écrase de mes sandales, je les tiens par les cheveux, je les effraie à tel point qu'ils tremblent avant de combattre. Amon répand la rumeur de mes succès, semant la panique dans tous les pays où je me rends. Pour lui je rase des villes et incendie des champs. Je fais abattre des arbres et arracher les plantes des régions rebelles. Je reçois des dons du monde entier.

Tianou promit de relater ces faits.

– Amenmen partira à Chypre et en Crète apporter à nos amis un message de paix. Je suis sûr que les rois lui donneront du cuivre et de l'étain, de l'or et du lapis-lazuli. Ces trésors viendront grossir les dons du Hatti. Son chef m'a offert des chars et des bijoux aussi beaux que ceux qui viennent de Babylone. Les Assyriens tiennent également à me donner des preuves de leur soumission. Nous avons reçu de leur part des objets en bronze d'une grande valeur.

Le roi précisa aussi à Tianou qu'il avait l'intention de lui confier un travail minutieux.

– Tu reproduiras sur les murs du saint des saints de Karnak le détail exact des tributs que chaque pays soumis doit verser à Pharaon.

Sheribu vit dans l'absence de Pharaon un signe des dieux. Elle put sortir du camp sans difficulté en trompant encore une fois la vigilance de la responsable du harem. Comme le garde se montrait un peu réticent, Sheribu lui donna deux colliers en or que le roi lui avait offerts.

– Ne les montre jamais sinon nous serons tous deux condamnés ! Ces bijoux sont reconnaissables entre tous ! Il t'est interdit de les donner à quiconque mais tu peux fondre cet or et l'échanger facilement.

Le garde se laissa tenter.

– Je reviendrai vite...

– Si tu ne revenais pas, je n'ose imaginer ce qu'il adviendrait de moi !

– Les dieux me protègent !

Sheribu hâta le pas. Elle sifflota, en signe de reconnaissance, un refrain mitannien. Ishtariou se présenta bientôt devant elle.

– Je t'attendais, lui dit-il. Mon espion m'a appris que le roi avait programmé cette chasse hier. Que compte-t-il faire ensuite ? Va-t-il retourner à Thèbes ?

– Hélas non, par Isis. Il est déterminé à continuer sa campagne et à l'emporter sur de nombreuses cités mitanniennes ! Il est également informé du soulèvement de certaines villes comme Kadesh.

Ishtariou avoua qu'il était au courant.

– Je me doutais bien que tu n'étais pas étranger à de telles manifestations d'hostilité. Le roitelet de Kadesh avait pourtant accepté les conditions de Pharaon. Amenpafer lui a fait part des instructions de Thoutmosis qui lui a permis de revenir dans sa ville et d'y régner. A-t-il oublié qu'il détient son fils et que celui-ci sera condamné à mort s'il se révolte contre Pharaon ?

– Nous sommes sûrs de notre réussite. Cette fois-ci, Thoutmosis n'ira pas plus loin. Il sera battu. Son armée sera affaiblie par les contingents qu'il sera contraint d'envoyer de nouveau dans le pays de Retenou. S'il tente alors d'attaquer les places fortes qui protègent les rives de l'Euphrate, son armée sera inférieure en nombre. Puisqu'il persiste, nous allons l'attendre dans la forteresse située aux portes du Mitanni. Il ne passera jamais nos lignes !

– Ton discours me redonne confiance, lui dit Sheribu, les yeux pétillants. La superbe de Pharaon me fait trembler. Il paraît tellement inaccessible, tellement sûr de lui ! Les dieux le soutiennent en tout lieu !

– Nos dieux aussi savent se manifester et nous encourager ! Aurais-tu des dates plus précises à nous communiquer ? Quand le roi va-t-il lever le camp ?

– Très prochainement.

– En as-tu parlé avec ton frère ?

– Non. Pharaon le fait surveiller. Je ne veux pas le mettre en danger.

– Il faudra pourtant trouver un moyen de le prévenir. Amenpafer est le fils de l'ancien chef mitannien. Il a grandi au Mitanni. Il est fier de cette région qu'il aime. Je suis persuadé qu'il ne pourra tolérer plus longtemps la tyrannie de Pharaon !

– Je le sens troublé, en effet. Je sais qu'il ne pourra jamais combattre contre ses frères mitanniens. Plus nous approchons de la capitale plus son cœur se révolte. Pharaon se plaint de ses hésitations et de ses mauvais conseils.

Ishtariou s'arrêta soudain de parler pour contempler Sheribu.

– Ton visage est resté si doux et si pur ! Tes traits sont si lisses et ta peau si lumineuse ! Tes yeux profonds paraissent éternellement soulignés de khôl même quand tu ne les maquilles pas. Ta bouche a gardé cette moue coquine de ton enfance qui m'agaçait lorsque nous étions jeunes et que je trouve aujourd'hui si séduisante. Je souhaiterais tant revenir à ces jours bénis des dieux où l'on vivait en toute quiétude dans le beau pays du Mitanni.

Sheribu s'avança vers lui et lui prit affectueusement le bras.

– Bien que tu fasses partie du harem, tu as gardé une si grande fraîcheur ! Tant de filles se gâtent dans ce milieu de luxure où se complaît Pharaon !

– Ma mère a fréquenté, elle aussi, les harems. Le roi du Mitanni en possédait un. Cela n'a pas empêché Thémis d'être longtemps jeune et belle. Les ans ajoutent à sa beauté. Je prie les dieux d'hériter de sa longévité et de sa jeunesse d'âme.

Comme Ishtariou continuait à la contempler avec émerveillement, la jeune Mitannienne baissa les yeux.

– Ne me regarde pas ainsi. Je n'ai pas eu le temps de m'apprêter.

– Je te préfère sans fard, avec les cheveux défaits. Tu parais plus jeune encore.

– Ishtariou, je dois te quitter. Ne cherche plus à me revoir avant le combat fatidique dont tu viens de parler. Ce serait trop dangereux. Je connais ton espion. S'il n'a pas autant d'informations que moi, il n'en demeure pas moins astucieux. Personne ne se doute qu'il travaille

153

pour toi, même pas Amenpafer. Il parle parfaitement l'égyptien et paraît si dévoué à Pharaon !

— Nombreux sont ceux qui entourent le roi et qui sont prêts à le trahir. Je m'en suis rendu compte lorsque je vivais à la cour. À force de se dire adoré des dieux et du peuple, Thoutmosis se croit plus populaire qu'il ne l'est.

Sheribu lui rappela tout le bien que les Égyptiens pensaient de lui.

— Il reçoit tant de dons, tant de cadeaux qui arrivent de tous les pays du monde ! Je ne parle pas là de tributs ni de redevances mais de réels cadeaux. Les ambassadeurs s'inclinent spontanément devant lui !

— Fais-moi confiance !

Ishtariou lui baisa les mains.

— Tu sais quels sont mes sentiments pour toi. Que Thoutmosis ne prenne jamais ma place dans ton cœur !

XVIII

Deux jours après, à l'aube, Thoutmosis III leva le camp. Il venait d'envoyer un détachement dans la région de Kadesh pour réprimer toute révolte. Bien qu'Amenmen se fût proposé pour cette nouvelle mission, le roi avait préféré le conserver avec lui.

– Les batailles vont être décisives ! J'aurai besoin de toi à mes côtés, lui avait-il dit.

Le roi refusa d'attendre le retour de son détachement pour traverser l'Euphrate. Il avait donné l'ordre à ses hommes de le retrouver sur le littoral.

– Si nous sommes défaits, ne nous attendez pas ! Rentrez à Thèbes ! Je m'accorde un délai de sept jours pour m'imposer dans la dernière citadelle et revenir vers Byblos. Au-delà de ce laps de temps, si la clepsydre continue à s'écouler sans que vous ne voyiez paraître Pharaon, embarquez sur nos navires et fuyez avant que les Asiatiques ne vous fassent prisonniers !

Le chef militaire désigné par Thoutmosis avait promis au roi d'agir selon ses volontés et de ne pas prendre de risques inutiles.

L'armée égyptienne avança rapidement vers le fleuve. Les soldats, reposés, avaient hâte de combattre pour retourner plus vite dans leur pays. Les archers se trouvaient au premier rang juste derrière Pharaon. Les fantassins fermaient la marche.

Dès que les navires construits à Byblos furent descendus des chariots et mis à l'eau, les Égyptiens embarquèrent avec des clameurs de victoire. Ils ramaient vite malgré les dangers qui les attendaient sur l'autre rive.

— Nous avons pris une citadelle ! Nous en prendrons d'autres ! cria le roi en levant son arc au-dessus de sa tête pour encourager ses hommes.

Quelques soldats ennemis tentèrent de leur barrer le passage dès qu'ils accostèrent.

— Laissons les navires. Nous les retrouverons à notre retour !

Le roi lança alors son cheval au galop et fonça sur les rangs ennemis, provoquant une nouvelle fois la panique. Amenpafer combattait avec rage, oubliant que ses adversaires étaient des Mitanniens. Cependant, alors qu'il était entouré d'adversaires et qu'il rendait les coups avec son épée, ne ménageant pas ses efforts, l'un des Mitanniens l'attrapa par le bras. Amenpafer tenta de se dégager mais il sentait la puissance de cette main qui ne le lâchait plus. Impuissant, il allait être transpercé d'un trait par un autre ennemi qui lui faisait face quand le premier Mitannien abattit le second.

— Ishtariou ! cria Amenpafer.

— M'avais-tu oublié ? De quel côté es-tu ?

— Lâche-moi ! Ces archers vont me massacrer !

— Réponds-moi, Amenpafer !

— Je combats maintenant pour Pharaon. Ne m'oblige pas à lutter avec toi, Ishtariou !

— Aurais-tu le courage de me tuer ? Frappe-moi puisque tu es mon ennemi !

Amenpafer transperça de son épée le corps d'un

Mitannien qui essayait de monter sur son char. Malgré la conviction et le courage des Asiatiques, leur chef leur ordonna de se replier. Trop de morts jonchaient le sol autour de lui. Il comprenait que le roi égyptien était en train de prendre l'ascendant sur son armée.

Ishtariou qui montait à cru guida son cheval vers l'extérieur de la mêlée.

– Nous nous retrouverons bientôt, Amenpafer ! Je serai dans la citadelle. Réfléchis encore ! Demain, tu pourrais bien me tuer ou massacrer des femmes et des enfants de ta propre famille ! Souviens-toi de ce que je t'ai appris : tu es le fils d'un roi mitannien. Tu resteras toute ta vie mitannien dans l'âme !

Malgré le fracas des armes, les gémissements des blessés et le vacarme des chars, Amenpafer entendit très distinctement les paroles de son ami. Rêthot s'approcha de lui.

– J'ai reconnu cet homme, dit-il. Le propre conseiller de Pharaon ! Celui que l'on disait mort au Serabit el-Khadim ! Ton ami ! Depuis quand sais-tu qu'Ishtariou est en vie ? Depuis quand trompes-tu Pharaon ?

– Je n'en sais pas plus que toi, Rêthot, répondit sèchement Amenpafer.

– J'en doute ! répliqua aussitôt Rêthot. Mon père sera heureux d'apprendre que son ancien protégé est encore vivant. Il le sera moins lorsqu'il comprendra qu'il a levé l'armée ennemie contre lui et qu'il encourage les Asiatiques à se coaliser contre l'Égypte !

Mû par un sentiment incontrôlable, Amenpafer banda alors son arc et lança une flèche en direction du fils du roi. Celui-ci s'écroula en poussant un cri. Il tomba sur le char, la tête dans le vide, le corps plié en deux. Son cheval s'emballa et partit au galop vers les rangs ennemis. Amenmen, à qui rien n'échappait, se précipita vers Amenpafer.

– Qu'as-tu fait malheureux ? Tu paraîtras bientôt devant Osiris ! S'attaquer au fils du roi ! Je te conseille vivement de rattraper le char de Rêthot et de prier Rê qu'il ne soit que blessé. Si tu parviens à le sauver, Thoutmosis t'épargnera peut-être !

– Je n'ai fait que donner une leçon à ce prétentieux qui savait à Thèbes se tenir à l'écart et qui se prend ici pour l'héritier du trône ! J'ai visé son bras. Jamais je n'aurais attenté à sa vie ! Crois-tu que j'aurais traité ainsi le prince Aménophis ?

Comme Amenmen tentait de se frayer un passage dans la débandade générale, l'un des Mitanniens, blessé au sol, que n'épargnait aucun des fuyards, reconnut dans sa détresse le cartouche du pharaon sur la ceinture de Rêthot. Croyant qu'il s'agissait de Thoutmosis en personne, il ramassa son épée et transperça le corps du jeune homme dans un effort suprême. Amenmen s'en aperçut. Il descendit de son char et retint Rêthot qui allait basculer en avant sous les pattes des chevaux qui fuyaient eux aussi avec des hennissements effrayés. Mais il ne put que constater ce qu'il craignait : Rêthot avait succombé à ses blessures. Il allait déjà se présenter devant la balance d'Osiris pour le jugement des dieux.

Comme les ennemis avaient alors déserté le terrain, Amenmen fit appeler les secours. En apprenant la nouvelle, Thoutmosis vint en personne constater la mort de son fils.

– La Grande Épouse royale avait raison, dit-il. Nous avons tort d'emmener nos fils trop jeunes au combat. Amon a sacrifié Rêthot mais il a protégé Aménophis.

Il pensa soudain à Kertari et serra les poings.

– Pourquoi infliger cette douleur à une femme douce et exemplaire ?

– Tu n'es pas responsable de la mort de ton fils, intervint Amenmen. Rêthot a combattu avec courage. Il a fait preuve d'audace et d'astuce. Il ne prenait pas de risques inutiles. Tu avais su déceler sa grande sagesse...

– Le résultat est là, par Rê lumineux.

Amenmen n'en dit pas plus. Il regarda Amenpafer qui se tenait debout devant le corps de Rêthot, le visage sévère et les traits impassibles.

– Rêthot est mort à cause de moi, dit-il à Thoutmosis.

– Que veux-tu dire ? demanda le roi, étonné de cette intervention. Sans doute n'as-tu pas su le défendre quand il était attaqué. Ne t'en rends pas responsable !

– Ce n'est pas ainsi que l'incident s'est déroulé. Rêthot m'a menacé. J'ai voulu lui donner une leçon et lui montrer qu'il n'était pas le prince Aménophis. Agacé par son orgueil, j'ai tiré sur lui une flèche qui n'était destinée qu'à le blesser légèrement. Hélas, Rêthot est tombé en avant et son cheval affolé s'est aussitôt emballé. Presque inconscient, Rêthot a été tué par l'ennemi.

Thoutmosis demeura silencieux.

– Tu viendras tout à l'heure sous ma tente, dit-il d'un ton autoritaire et froid. Ta franchise t'honore. Mais je veux tirer cette histoire au clair. D'ici là, les dieux me donnent une tâche difficile à remplir. Je dois informer la mère de Rêthot du départ de son fils pour l'Au-delà. Même s'il est assuré d'y mener une vie agréable dans les champs d'Ialou au milieu des plus agréables parfums et de femmes délicieuses dignes de celles qui foulent cette terre, une mère n'admet que péniblement la disparition d'un fils.

Chaque soldat vint se recueillir près du corps de Rêthot. Ses compagnons d'armes étaient tristes. Les autres ne comprenaient pas comment un fils de roi, protégé par les dieux, pouvait disparaître si rapidement en ayant à peine frôlé les champs de bataille. Ils en concluaient que les dieux ne les soutenaient plus, qu'un grand malheur allait frapper l'armée égyptienne.

Conscient du symbole que représentait la disparition de son fils, Thoutmosis, qui ne pouvait voir son armée démobilisée à la veille d'un combat décisif, ordonna au devin de calmer les esprits et de préparer des sacrifices aux dieux.

— Ne lésine pas sur le choix des bêtes même s'il nous en manque pour dîner. Nous retournons bientôt vers le littoral. Il nous reste suffisamment de vivres. Sélectionne des animaux sans tache, jeunes et vivaces. Interprète les signes des dieux le mieux possible afin de rassurer les hommes. Je compte sur ta science pour leur redonner confiance en eux. De leur détermination dépendra notre future victoire !

Le prêtre promit au roi de répondre à son attente. Il était souvent sollicité avant les départs en campagne et avant les batailles décisives. Il comprenait, néanmoins, que l'enjeu était exceptionnel.

Thoutmosis rejoignit tristement son camp. Il ne différa pas l'entretien qu'il voulait avoir avec Kertari. Ce fut Tianou qui alla chercher la Mitannienne.

— Que se passe-t-il ? lui demanda-t-elle, effrayée par le ton solennel du scribe. Où est mon fils ?

— Pharaon tout-puissant peut seul te parler, Kertari. Je n'ai pas le droit de révéler ce qu'il veut t'apprendre. Suis-moi. Pharaon t'attend.

XIX

Kertari écouta le roi en frémissant. Elle refusa, cependant, de pleurer devant lui pour lui éviter des plaintes qu'il ne tolérait guère.

— J'aimais Rêthot, lui avoua-t-il. Il avait une place particulière dans mon cœur.

— Tu as tellement d'enfants ! répliqua Kertari sur un léger ton de reproche qui laissait entendre que le chagrin de Pharaon n'était nullement comparable au sien.

— Par Rê lumineux, aucun enfant à l'exception du prince Aménophis ne m'était aussi précieux. Peut-être parce que je ressens pour toi des sentiments rares.

— Cela fait bien longtemps que Pharaon ne m'avait pas tenu de tels propos, répondit Kertari au bord des larmes. N'ajoute pas, Grand Roi, à ma peine et ne me rappelle pas que tu éprouvais pour moi des sentiments que tu montres aujourd'hui à d'autres femmes. Tu t'es vite lassé de moi. Je suis pourtant encore très jeune. Ma minceur devrait te plaire car elle est digne des plus jeunes adolescentes que tu affectionnes. Je voudrais tant me trouver en ce jour à la place de Sheribu. Elle n'a aucun souci mais elle a toute ton attention. Et pourtant...

— Ne pense pas aux autres femmes, Kertari. Tu plais

au roi telle que tu es. Ne change jamais. Il te comblera toujours même si un roi honore régulièrement toutes les femmes de son harem. Tel est le lot de celles qui ont été choisies pour être aimées de Pharaon. Lorsqu'elle faisait autrefois partie du harem d'Aménophis Ier, Thémis ne s'en plaignait jamais. Aucune femme ne souhaite quitter mes palais. Elles sont bien traitées. Je leur fais des cadeaux exceptionnels.

– Sans doute Hathor a-t-elle placé dans mon cœur un amour plus digne d'une simple Thébaine que d'une femme du harem. Les Égyptiennes sont possessives avec leur époux et elles ne tolèrent guère leurs incartades ! J'oublie souvent que je suis élue par Pharaon et non par un simple particulier. Pardonne-moi cet esprit de possession déplacé qui met Pharaon mal à l'aise.

– Si tu avais connu un Égyptien du peuple, tu aurais pu faire avec lui de longues promenades sur le Nil ou dans les jardins. Il t'aurait offert des fleurs et des parfums, non comme un roi mais comme un amoureux attentif. Tu n'aurais pas reçu des bijoux de grand prix ni des fleurs venant de pays lointains qui poussent seulement dans le jardin du palais. Quand tu serais partie te promener sur le fleuve, il aurait ramé pour toi. Des rameurs professionnels n'auraient pas été à ta disposition. Tu aurais connu tant de petites délicatesses de la vie que je ne puis t'offrir. En revanche, aucune Thébaine ordinaire ne franchira le seuil de ce magnifique parc, aucune ne recevra des bijoux en or de Pharaon, aucune n'aura tant de femmes dévouées pour la servir, la laver, la coiffer, l'habiller ou la parfumer. Il te suffit de demander pour utiliser l'une des barques royales. Tu peux ainsi naviguer en contemplant les rives du Nil sous un baldaquin qui te protège du soleil. Des femmes et des Nubiens t'éventent comme si tu étais la Grande Épouse royale.

– Je suis consciente de jouir d'attentions particulières et de bénéficier d'un statut que m'envieraient toutes les Thébaines. Je ne céderais ma place à personne ! Mais mon cœur bat parfois très fort lorsque Pharaon choisit une autre femme pour passer la nuit. Je me réveille en pleine nuit en pleurant. Je rêve alors...

– Continue...

– C'est impossible. Je ne voulais pas me révéler...

– Tu rêves à quoi ? Quels songes les déesses t'envoient-elles quand je passe du bon temps avec une autre femme du harem ?

– Je rêve que Thoutmosis, le plus grand pharaon de tous les temps, devient un simple Égyptien qui cultive son champ, un marchand qui part en expédition, un mineur qui ramasse de la turquoise ou un masseur embauché à la cour !

Le roi sourit. Si la perte de Rêthot n'avait pas créé un climat presque insoutenable, il aurait sans doute éclaté de rire.

– Et comment se présente donc Pharaon avec un pagne de paysan ou un racloir de masseur à la main ?

– Comme un homme magnifique, au torse musclé, à la peau brillante, au visage parfait. Pharaon garde sa beauté intacte, sa virilité et la puissance de son corps.

– Sans doute es-tu troublée par la disparition de ton fils. Aussi deviens-tu plus sensible aux actes de Pharaon. Mais tu vas retrouver ta force. Nous allons offrir à Rêthot un remarquable enterrement. Il sera enseveli dans la Vallée des Morts comme un prince ou un roi. Je

commanderai pour lui le plus beau des mobiliers funéraires. Chaque membre de la famille royale déposera
près de son corps un bijou qui lui est cher. Son embaumement sera parfait. Le spécialiste utilisera des bandes
de lin préparé dans les ateliers du palais.

– Je suis très touchée par de telles marques d'attention, répondit Kertari en se retenant une nouvelle fois
de pleurer. Il suffit de placer près du corps de Rêthot
des objets qui lui étaient chers dans sa vie terrestre. Inutile de recourir aux meilleurs artisans et de puiser dans
le trésor royal. Je préfère voir près de son sarcophage
les jouets de son enfance, les papyrus de ses études, les
cadeaux que son père lui a faits de son vivant plutôt que
de l'admirer au milieu d'une accumulation de meubles
dignes d'un pharaon mais non d'un jeune homme qui
est mort lors de sa première campagne.

– Je décide, Kertari. Pharaon veut qu'il en soit ainsi.
Rêthot sera non seulement accompagné de tous les
objets de sa vie terrestre mais il aura aussi mille objets
luxueux autour de lui : des tables, des chaises, des figurines pour le servir dans l'Au-Delà, des coffres ciselés en
or et en pierres précieuses, des fauteuils dignes du fils
de Pharaon avec des dossiers décorés de scènes de sa
vie. Son cou et ses bras seront couverts de bracelets et
de colliers magnifiques. Je vais aussi donner des ordres
pour son masque funéraire. Son sarcophage sera décoré
de hiéroglyphes d'or. Je vais d'ores et déjà faire com-
poser le texte.

– Je suis comblée, dit Kertari. Voilà un enterrement
digne d'un véritable prince.

– Ce n'est pas tout. Le peuple égyptien suivra le cortège funéraire afin de souhaiter à Rêthot une vie paisible

Détail de la troisième terrasse du temple d'Hatchepsout.
Thoutmosis et la reine-pharaon y sont largement représentés
(inédit. Site jamais ouvert au public).

Le sanctuaire d'Amon du temple d'Hatchepsout, creusé dans la montagne où était déposée la barque du dieu sortie du temple de Karnak lors de la fête d'Opet (inédit. Site jamais ouvert au public).

Détail de la troisième terrasse du temple d'Hatchepsout (inédit. Site jamais ouvert au public).

Thoutmosis III tend les vases globulaires dans le sanctuaire d'Amon. Le plafond bleu étoilé est voûté (inédit. Site jamais ouvert au public).

Représentation sur la troisième terrasse du temple d'Hatchepsout (inédit. Site jamais ouvert au public).

Violaine Vanoyeke dans le temple d'Hatchepsout,
près de l'Horus faucon, lors de ses recherches.

Temple de Satet dans l'île Éléphantine d'Assouan.
Agrandi par Hatchepsout et embelli par Thoutmosis III
(en cours de restauration).

Détail du temple de Satet où sont représentés Thoutmosis III et Hatchepsout. On y retrouve de nombreuses sculptures et peintures des temples d'Hatchepsout et de Thoutmosis III de Deir el-Bahari (Thèbes Ouest).

La barque d'Amon, placée sur un autre navire, était accompagnée des barques royales lors de la traversée du Nil.
Les porteurs la plaçaient sur des reposoirs pendant le trajet terrestre.

Thoutmosis III organisa des expéditions au mont du Sérabit el-Khadim (Sinaï). Les mineurs venaient y chercher la turquoise. Après d'autres pharaons, Hatchepsout et Thoutmosis III agrandirent le sanctuaire d'Hathor, déesse de la turquoise, situé au sommet du mont.

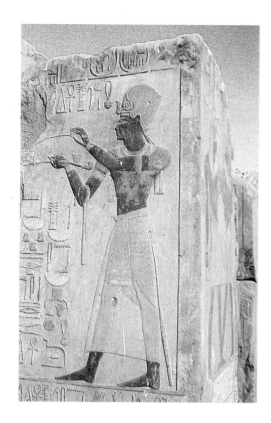

Thoutmosis IV, fils
d'Aménophis II et petit-fils
de Thoutmosis III,
à Karnak, sur le lieu de
la chapelle rouge (en cours
de restauration).

Thoutmosis IV dans sa tombe de la Vallée des Rois.

Détail de la tombe de
Khonsou, premier prophète
du Menkheperrê. Le défunt
fait des offrandes à
Thoutmosis III. Dans
le vestibule, les prêtres
accueillent la barque royale.
Ici, le défunt offre des
fleurs au roi Montouhotep.

Détail de la tombe de Khonsou, TT 31 (XVIIIᵉ dynastie).

Détail de la tombe d'Aménophis II dans la Vallée des Rois.

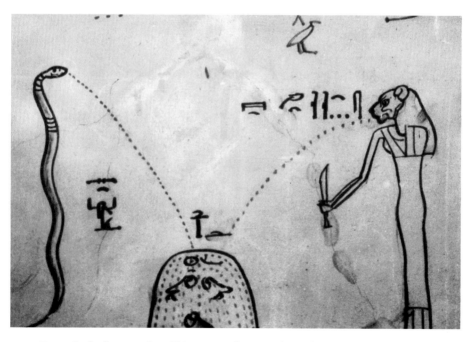

Détail de la tombe d'Aménophis II dans la Vallée des Rois.

Détail de la tombe de Menna (TT 69 à Cheikh Abd el-Gournah),
scribe chargé du cadastre du Seigneur de Haute et Basse-Égypte
(XVIIIe dynastie).

Détail de la tombe de Menna. Scènes de récoltes.

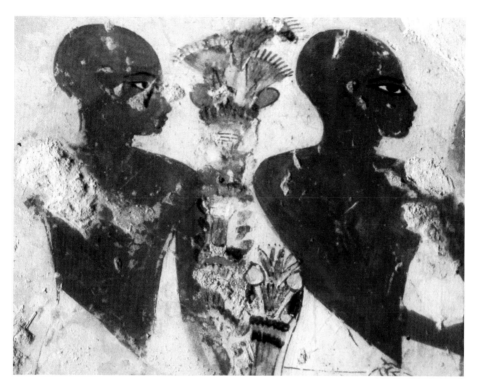

Détail de la tombe de Menna. Les prêtres.

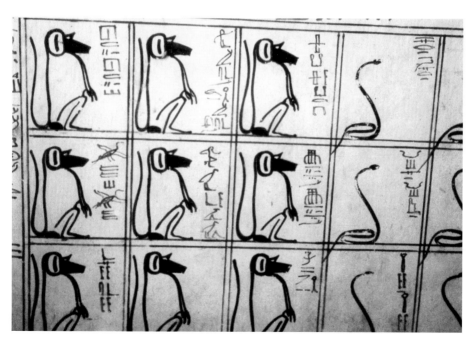

Détail de la tombe de Thoutmosis III.

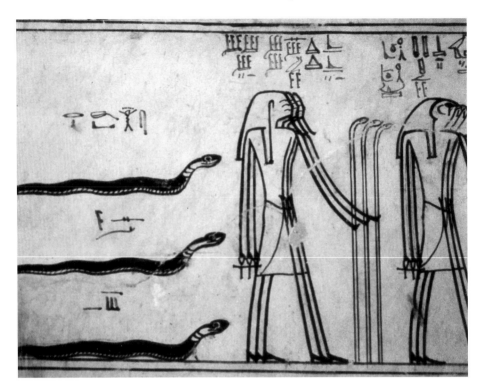

Détail de la tombe de Thoutmosis III.

Détail de la tombe de Thoutmosis III (Vallée des Rois).

et heureuse dans l'Au-Delà. Je prierai Osiris pour qu'il soit indulgent envers ton fils lorsqu'il se présentera devant la balance du jugement.

– J'ai confiance, Grand Thoutmosis. Rêthot a toujours été bon et honnête. Osiris et les dieux qui l'entourent ne le condamneront pas à la chienne. Il rejoindra les champs d'Ialou pour y vivre éternellement. Cependant, moi aussi je prierai Osiris afin qu'il reconnaisse mon fils juste de voix.

– Laisse ton chagrin s'exprimer. Ne retiens pas tes larmes. Nous allons bientôt rejoindre Thèbes où tu pourras donner libre cours à ta peine. Nous préparerons au mieux l'embaumement et les funérailles de Rêthot. Ensuite, nous envisagerons peut-être d'avoir un nouvel enfant...

Le visage de Kertari s'illumina malgré sa douleur.

– Horus d'or, je te bénis ! dit-elle en se jetant à ses pieds.

Le roi lui demanda de se relever. Elle prit alors conscience que Thoutmosis ne lui avait pas dit dans quelles circonstances son fils avait quitté le monde terrestre.

– Il est difficile de savoir comment se déroulent les combats au sein d'une bataille, lui avoua-t-il Tout est tellement confus ! Rêthot a été tué par un ennemi qui gisait à terre. Il ne s'est pas méfié de cet adversaire qui semblait mort près des roues de son char.

– Rêthot était pourtant extrêmement sage et prudent. Tu lui reprochais toi-même sa méfiance et l'incitait à plus d'audace !

– Les Mitanniens fuyaient. Nous avions gagné la bataille. Sans doute n'a-t-il pas pris garde à cette attaque subite.

– Il n'était donc plus auprès de toi ? Je savais qu'il combattait généralement à tes côtés pour écouter tes conseils et bénéficier de la protection que t'accordent les dieux.

Détestant les mensonges, le roi lui répondit, cependant, qu'il ne savait pour quelle raison Rêthot s'était alors éloigné.

– Hélas, nous ne pouvons que déplorer cette initiative malheureuse.

– Permets-moi de me retirer, Horus d'or. J'ai besoin de repos. Le médecin m'a prescrit un traitement apaisant qui me fera dormir.

– Va, Kertari, et rappelle-toi que Rêthot était un fils exceptionnel. Les Égyptiens l'honoreront comme il le mérite !

En apprenant l'altercation qui avait mis aux prises Amenpafer et Rêthot et qui s'était terminée dans des conditions aussi affligeantes, Sheribu décida d'aller trouver le roi juste après son entrevue avec Kertari. Elle se doutait des intentions de Thoutmosis et devinait son état d'esprit. Elle savait aussi qu'Amenpafer avait été convoqué par le roi.

La responsable du harem ne lui donna toutefois pas l'autorisation de sortir.

– Si tu veux demander une audience au roi, fais comme les autres femmes ! Transmets à Horus d'or magnifique en majesté un message. S'il juge utile de te recevoir, Pharaon te le fera savoir.

Sheribu répliqua qu'elle refusait de se soumettre à de

tels ordres. Si elle consentait à prévenir Tianou de sa volonté de rencontrer le roi, elle se révoltait contre la manière dont la responsable du harem lui dictait sa conduite.

— Je ferai un rapport sur toi à la Grande Épouse royale, répliqua l'Égyptienne. C'est elle qui m'a choisie pour diriger et surveiller ce harem. Je dois lui rendre compte de tout ce qui s'y passe ! Pharaon a approuvé ce choix ! Tu es la seule à le critiquer et tu n'as aucunement le droit de le faire ! Je ne sais quelle audace te pousse à te considérer supérieure aux autres femmes. N'es-tu pas une Mitannienne, une ennemie de l'Égypte ?

— Tu es très mal informée des sentiments que Pharaon tout-puissant éprouve à mon égard sinon tu ne serais pas si agressive. À Thèbes, même si elle subit mes caprices, notre surveillante finit par céder devant les goûts de Pharaon !

— Tu ne seras pas toujours belle et jeune, Sheribu, lui répondit l'Égyptienne. Prends garde alors à ce qu'il pourrait t'arriver ! Tu soulèves la jalousie et la haine des femmes plus soumises qui ont des enfants de Pharaon. Celles-ci pourraient bien en profiter pour se venger !

— Es-tu voyante ou surveillante ? L'avenir seul le dira ! Vivront-elles encore au palais quand ma jeunesse sera passée ? Les déesses m'accorderont peut-être le privilège de ressembler à ma mère et de vieillir en beauté...

Sheribu envoya un messager prévenir Tianou de son intention de rencontrer Thoutmosis au plus tôt. Elle précisa qu'il s'agissait d'une affaire de la plus grande importance.

— Je doute, après l'entretien que je vais avoir avec le

roi d'Égypte, que tu conserves la place que t'a donnée la vénérable Méryrêt-Hatchepsout, dit Sheribu. Tu as mésestimé l'influence que je peux avoir sur Pharaon. S'il est le plus grand pharaon de tous les temps, Thoutmosis est aussi un homme sensible aux charmes féminins qui ne pourra se passer dans l'Au-Delà d'oushebti[1] pour le servir et de statuettes féminines pour l'aimer.

Tianou se présenta lui-même devant Sheribu. Il lui rappela combien le roi était affecté par la disparition de Rêthot.

– Il s'était attaché ces derniers jours à ce fils qu'il connaissait mal. Même ses victoires faciles ne le consolent pas d'une telle perte. Je redoute le pire pour notre prochaine bataille. Les soldats sont perturbés, eux aussi, par l'épreuve qui frappe Pharaon. Ils y voient un coup du sort, un avertissement des dieux ! Le prêtre met tout en œuvre pour leur démontrer que les divinités restent favorables au roi et qu'elles ne sont pas irritées contre les Égyptiens.

– Précisément, par Isis, répondit calmement Sheribu. Je crois avoir une idée pour changer l'humeur de Pharaon...

– Sheribu, le roi n'a pas envie de se divertir. Il a formellement interdit qu'on le dérangeât. Il doit recevoir ton frère et paraît contrarié par ce qu'il va lui dire.

Sheribu se précipita vers Tianou et le supplia de l'écouter.

– J'ai confiance en toi. Thoutmosis te reçoit comme un ami. Parle-lui avant que mon frère n'arrive sous sa tente ! C'est très important pour lui et pour moi. Je n'ai

---

1. Figurines placées dans le tombeau des pharaons pour servir le roi après sa mort.

168

pas l'intention d'entraîner le roi dans une partie de plaisir qu'il regretterait peut-être. Je dois lui annoncer une nouvelle capitale qui changera probablement son état d'esprit et qui encouragera tous ses soldats à combattre !

– Je ne comprends pas, belle Sheribu. De quoi parles-tu ? Peux-tu m'en dire davantage ? Je trouverais ainsi les arguments pour décider le roi à t'écouter.

– Hélas non, Tianou, je ne puis en dire plus. Mais je te promets que tu seras le premier informé dès que j'en aurai parlé au roi. Tu pourras ainsi coucher sur le papyrus, dans les plus beaux hiéroglyphes, que Pharaon a retrouvé sa joie de vivre et de combattre grâce à Sheribu !

Hésitant encore, le scribe, d'une nature curieuse, insista une dernière fois pour connaître plus de détails. Mais il se heurta à un refus catégorique.

– Fais-moi confiance. Je ne cherche pas à rencontrer Pharaon pour le charmer.

Tianou finit par se retirer en lui promettant d'intercéder en sa faveur tout en lui faisant remarquer que l'emportement de Thoutmosis contre Amenpafer pouvait jouer contre elle.

– Nous verrons bien ! J'ai confiance en toi, Tianou. Reviens vite et apporte-moi une bonne nouvelle. Sois convaincant. Je te le répète : de ton pouvoir de conviction dépendent notre avenir et nos prochaines victoires.

Le scribe s'éloigna sans trop espérer de son intervention.

« Sheribu invente encore une ruse pour voir le roi. Si elle m'a menti, Thoutmosis me le reprochera. Dois-je lui faire confiance ? Cette fille est capable de tout ! »

Il demanda une entrevue au roi qui le reçut aussitôt.

— Tu insistes pour me voir, dit Thoutmosis.

— En effet. Il s'agit de Sheribu. Elle déclare qu'elle doit
te parler à tout prix.

— Nous verrons cela plus tard.

— Permets-moi d'insister, Grand Roi. Je l'ai trouvée
étrange. Elle affirme qu'elle doit t'apprendre une nouvelle qui changera la situation. À l'entendre, quand tu
seras au courant et que tu auras harangué tes troupes,
les soldats égyptiens n'auront plus peur de combattre.
Ils retourneront, au contraire, sur le champ de bataille
en chantant. Les devins n'auront plus besoin de faire des
sacrifices aux dieux pour les amadouer. Plus personne
ne mettra en doute la puissance de Pharaon.

— Que racontes-tu là, Tianou ? Aurais-tu perdu la
raison ? Comment Sheribu aurait-elle un tel pouvoir ?
Elle a encore inventé une histoire pour me parler et
m'amadouer avant que je ne rencontre son frère.

— Maître, elle affirme que non.

— Doit-on la croire ?

— J'avoue me poser bien des questions. Mais tu ne per-
dras rien à l'entendre. Si elle s'est moquée de moi, j'en
assumerai les conséquences.

Thoutmosis réfléchit.

— Réflexion faite, la présence de Sheribu me réconfor-
tera. Elle sait me changer les idées. La voir me redonne
la joie de vivre ! Je m'entretiendrai avec Amenpafer plus
tard. Dis à Sheribu qu'elle peut venir. Sa fantaisie
m'amuse. Que va-t-elle encore inventer pour que je me
montre clément envers Amenpafer ?

La jeune Mitannienne se montra satisfaite de la

réponse du roi. Ainsi donc, malgré la maladresse de son frère, son pouvoir sur Thoutmosis restait intact.

— Il ne s'attend pas à entendre ce que je vais lui dire. Voilà l'idée la plus lumineuse que m'a soufflée Hathor ! Qu'elle soit bénie !

XX

Le roi était en train de se faire masser les pieds lorsque Sheribu entra sous sa tente. Il livrait ses chevilles à deux servantes équipées de cuvettes remplies d'eau additionnée de natron.

– J'ai marché pieds nus comme un simple Égyptien, dit Thoutmosis à la jeune femme. Aussi ai-je la plante des pieds et le bas des jambes plus noirs que ce tapis ! Étends-toi et laisse-toi également rafraîchir les membres.

Sheribu lui avoua qu'elle pensait le trouver dans un autre état d'âme.

– Perdre un fils doit être une terrible épreuve.

– Kertari souffre en effet, se contenta de répondre le roi. Tianou m'a fait part de ta volonté de me parler. Sois brève car je dois recevoir Amenpafer. Cet entretien me tourmente. J'espère que tu n'es pas venue me parler au nom de ton frère car je ne t'écouterai pas.

– Il ne m'est pas permis d'empiéter sur les prérogatives de Pharaon. Si le moment n'était pas aussi mal choisi, je ferais éclater ma joie.

– Explique-toi, par Horus !

Sheribu contempla le roi. Les femmes avaient raison de le trouver de plus en plus beau. Ses épaules luisantes et dorées, sa taille si fine qu'elle aurait rendu jalouses toutes les Égyptiennes, ses jambes longues, fines et néanmoins musclées, lui conféraient un mélange de puissance et de charme indiscutable. « Les victoires le rendent encore plus beau, se dit Sheribu. Pharaon n'en deviendra pas moins prisonnier d'Ishtariou. Je le sens. Comment se comportera-t-il lorsqu'il défilera les fers aux pieds ? Conservera-t-il cette morgue et cet air arrogant ? »

— Tu ne réponds toujours pas à ma question, Sheribu. Viens-tu me rejoindre pour rêvasser ?

— Permets-moi de te servir moi-même du vin grec et buvons à l'avenir !

Sheribu se leva, pleine d'allégresse, et s'empara d'une coupe qu'elle remplit du meilleur cru. Son allant et sa gaieté remplirent de joie les servantes qui ne l'avaient jamais vue aussi volubile.

— Tu parais aussi légère que lorsque tu danses devant moi, lui dit le roi. J'apprécie cette grâce qui t'habite. On dirait que tu marches sur des nuages et que tes bras vont s'élever jusqu'aux cieux. Maintenant que je suis servi, viens ici et parle-moi !

Sheribu se laissa encore prier.

— Bois ce vin, Grand Maître, et ne me regarde pas avec cet air suspicieux. Ne t'ai-je pas apporté de douces voluptés ? Que crains-tu ? Que je ne te dérange ?

— Tu cherches à m'endormir par tes minauderies, Sheribu. Je me doutais bien que tu n'avais rien à m'apprendre de sérieux. Pourquoi me tromper ? Pourquoi m'envoyer Tianou ? Je suis tourmenté par un cas de conscience. Dois-je punir Amenpafer ou fermer les yeux ? Personne ne comprendrait que le responsable de la mort de Rêthot demeure impuni !

— Tu ne me fais pas confiance. J'ai réellement une

174

solution qui encouragera tes soldats à reprendre spontanément le combat.

Thoutmosis lui fit signe de continuer.

– Thoutmosis, Horus d'or, roi d'Égypte, Toi que tous les peuples vénèrent, sache que ta modeste servante Sheribu attend un enfant de toi.

Thoutmosis regarda la Mitannienne avec étonnement.

– Pourquoi ce regard ? N'est-ce pas là ce que tu souhaitais depuis si longtemps, que Sheribu devienne mère et qu'Amenpafer soit l'oncle du fils de Thoutmosis, troisième du nom ?

Au nom d'Amenpafer, Thoutmosis frémit.

– Cette nouvelle me réjouit, répondit Thoutmosis dont les traits se détendirent en un éclatant sourire. On m'avait, cependant, informé que...

– De quoi, Grand Pharaon ?

Thoutmosis hésita à lui révéler ses soupçons et ceux de la Grande Épouse royale.

– Les courtisans colportent parfois de fausses rumeurs et bien que je me sois promis de ne jamais les écouter, certaines arrivent malgré moi à mes oreilles.

– Qu'a-t-on pu te dire au sujet de l'enfant que je vais mettre au monde pour Pharaon ? J'ai attendu d'en être convaincue pour t'en parler. Personne d'autre n'est au courant à l'exception des déesses de la naissance et de l'enfantement qui ont placé ce petit être en moi.

– On ne m'a rien dit, rassure-toi. Mais tu m'as fait languir bien longtemps...

– Crois-moi, j'en suis désolée. Mais cette nouvelle n'arrive-t-elle pas au bon moment ? Peut-être les dieux nous ont-ils obligés à patienter jusqu'à ce jour néfaste afin de l'illuminer d'une clarté inattendue.

– Je crois entendre dans ta bouche les paroles d'une

déesse venue en Asie pour nous sauver. Cette nouvelle ne pouvait arriver à un meilleur moment ! Je veux qu'elle soit connue de tous ! Je vais envoyer, dès aujourd'hui, des messagers dans tous les pays !

— Hélas, mon enfant ne sera pas l'héritier du trône et je crains que tu ne soulèves ainsi les jalousies. L'annoncer aux soldats serait suffisant.

— En effet. Ils auront ainsi la preuve que les dieux ne sont pas mécontents de Pharaon et que Rêthot n'a pas disparu pour donner un avertissement à l'armée égyptienne. Tu es une providence, Sheribu, le *ka* d'Isis et de Thouéris !

— J'ai tout de suite compris l'enjeu d'un tel événement. Voilà pourquoi j'ai insisté pour te rencontrer alors que je n'avais prévu de t'en parler qu'après la bataille décisive que tu vas mener. Mais la mort de Rêthot en a décidé autrement. Maintenant, je vais te laisser afin que tu puisses t'entretenir avec les prêtres.

— Ce sera ma priorité.

Oubliant Amenpafer, Thoutmosis convoqua aussitôt Tianou et le devin chargé des sacrifices.

Le lendemain, le camp égyptien avait retrouvé son activité et sa fébrilité. Tous les soldats étaient de nouveau prêts à combattre. Dans sa joie et son enthousiasme, Thoutmosis avait presque oublié la disparition de Rêthot et la faute d'Amenpafer. Kertari n'en éprouva qu'une grande peine. « Comment le roi peut-il se laisser abuser de la sorte ? Sheribu est astucieuse. Elle a encore inventé ce mensonge pour sauver son frère. Mais j'ai la preuve qu'elle ment ! »

Partagée entre la colère et la révolte, Kertari décida de se rendre sous la tente de Pharaon. Elle le trouva en compagnie de trois femmes du harem.

– Parce que tu traverses une terrible épreuve, j'ai décidé de t'écouter et de renvoyer ces femmes. Tu sais pourtant que je déteste être dérangé dans des moments pareils !

Kertari ne daigna pas répondre. Elle attendit que les femmes aient quitté la tente royale.

– Je n'ai pris aujourd'hui que ces rares instants de repos, ajouta le roi. Nous avons travaillé sur le plan de notre prochaine bataille. Je suis las...

– Ne crains rien, par Isis. Je ne dérangerai pas la quiétude du roi.

– Dis-moi ce qui te ferait plaisir. Je te donnerai tout ce que tu voudras. Tu le mérites. Si cela concerne Rêthot, sache que j'y consentirai également.

– Je n'ai plus envie de cacher ce que je sais, Pharaon, dit Kertari avec froideur et respect. J'ai trop pleuré pour redouter quoi que ce soit. Les dieux me donnent aujourd'hui la force de te parler. Qu'importe l'opinion que tu auras de moi au terme de cet entretien !

– Que signifie un tel discours ? Depuis quand redoutes-tu mon autorité ?

– Je ne crains pas une punition de ta part mais ta haine ou ta rancœur à mon égard.

– Je connais ta droiture et tes sentiments.

– Par Isis, j'en doute car lorsque je t'ai parlé autrefois de Sheribu et de Thémis en essayant de te mettre en garde, tu n'as vu en moi qu'une femme jalouse ! Crois-tu que je me hasarderais à parler de faits dont je ne suis pas totalement sûre ?

Le pharaon se prit la tête à deux mains. Il se leva sans rien dire et se mit à arpenter la tente.

— Je comprends qu'il t'est désagréable d'apprendre la prochaine naissance de l'enfant que Sheribu me donnera alors que tu viens de perdre ton fils, d'autant que tu la considères comme une rivale et que tu la hais.

— Tu te trompes, Pharaon. Je ne la hais pas. J'estime qu'elle te trahit et qu'elle te ment. Elle et son frère représentent un danger pour Pharaon et pour l'Égypte tout entière !

— Par Amon, n'exagères-tu pas ? En quoi Sheribu, qui est recluse dans le harem comme ses consœurs, pourrait-elle être une menace pour un royaume aussi puissant que l'Égypte ?

— Prends garde, Thoutmosis. Sheribu rencontre ici des ennemis de Pharaon ! Elle sort du camp à l'insu de tous. J'ai de bonnes raisons de penser qu'elle a acheté la confiance d'un garde.

— Comment peux-tu avancer de telles incongruités ? Comment une femme pourrait-elle sortir du camp sans être vue ?

— Sheribu y réussit très bien. Je l'ai suivie. Elle a des complices à l'extérieur ! Amon seul sait ce qu'elle complote contre toi !

Thoutmosis parut tourmenté. Comme Kertari ne quittait pas sa place, il lui demanda si elle voulait ajouter quelque chose.

— J'ai un long récit à te faire, lui dit-elle, même si je suis la plus brève possible.

Le roi lui fit signe de continuer.

— Sheribu rencontre au palais de Thèbes une sorcière qui prépare pour elle des mixtures écœurantes. Elle lui apprend aussi des formules étonnantes et des pratiques que seules connaissent les magiciennes. Là encore, j'ai été témoin de leur entretien. Sheribu demandait très clairement à la magicienne de la rendre stérile. Sheribu ne peut être enceinte ! Elle t'a menti !

Thoutmosis réfléchit en observant Kertari.

– Je te crois incapable d'inventer une telle histoire dans un moment pareil. Je crois, cependant, que tu te trompes. Pour en savoir plus, nous interrogerons les médecins. En attendant, je ne vois qu'un aspect positif à cette nouvelle. Mes soldats ont retrouvé leur courage. Ils sont prêts à l'emporter demain face à une forteresse imprenable ! Je ne briserai pas leur élan ! Garde pour toi ce que tu sais. Je ferai enquêter plus tard sur tout ce que tu viens de me révéler.

Si elle était trop attristée pour éprouver une quel-conque joie devant la réaction du roi, Kertari était soulagée de cette initiative Elle restait fermement convaincue que la dynastie des Thoutmosides était menacée par un danger extérieur.

Constatant que la jeune femme ne manifestait aucun enthousiasme, Thoutmosis commença à s'inquiéter. Il comprenait que Kertari ne lui aurait jamais menti dans un moment aussi pénible. « S'est-elle trompée ou a-t-elle réellement vu Sheribu quitter le camp ? Je ne puis le croire ! Comment un garde oserait-il défier Pharaon en faisant fi de ses ordres ! »

Bien qu'il se couchât tôt pour être au mieux de sa forme le lendemain à l'aube, le roi trouva difficilement le sommeil. Il se leva à plusieurs reprises. « Et si ces traîtres mettaient demain leur plan à exécution ? S'ils avaient attendu cette bataille capitale pour me tendre un piège ? »

Il fut plusieurs fois tenté d'appeler Tianou et de faire annoncer le retour des troupes à Thèbes. Poussé par une voix intérieure qui lui interdisait de renoncer à son projet, le roi acheva la nuit dans l'incertitude. Au matin, cependant, sa décision était prise : nul ne l'empêcherait de combattre et de remporter une victoire historique ! Il donna, néanmoins, des ordres pour surveiller Sheribu et mit en garde les chefs militaires.

XXI

Excités par l'agitation générale bien orchestrée par les généraux de Thoutmosis, les chevaux piaffaient. Ils semblaient avoir hâte de se retrouver sur le champ de bataille.

Les soldats, en pagne, s'étaient alignés pour entendre le court discours de Pharaon qui tenait à encourager ses troupes avant chaque bataille. Leurs visages paraissaient reposés et confiants. Thoutmosis les jugea au premier coup d'œil.

– Ils ont retrouvé leur confiance en eux, dit-il à Amenmen. Nous gagnerons la partie !

Le général était, lui aussi, soulagé par de tels états d'esprit. Il savait, comme Thoutmosis, qu'on n'entraînait pas à la victoire des soldats qui partaient la peur au ventre.

Juste après le discours de Thoutmosis, les archers et les fantassins levèrent leurs armes en acclamant le roi et leur pays. Ils promettaient de se battre pour l'Égypte et de ne pas baisser les bras face à la douleur ou à l'adversaire.

Comme les femmes du harem avaient eu l'autorisation de sortir pour regarder le défilé militaire, Thoutmosis fit appeler la responsable et lui parla discrètement tandis qu'Amenmen distribuait ses ordres.

— Je te signale que certaines femmes ont échappé à ta vigilance, lui dit-il froidement. Pour que Pharaon s'adresse à toi directement, tu dois bien imaginer que l'affaire est grave...

Éblouie par la majesté du roi, l'Égyptienne se mit à trembler.

— Nous réglerons cela à mon retour. Je sais qu'il existe dans le harem des femmes qui refusent d'obéir à mes ordres et qui prennent des libertés que je ne saurais tolérer.

L'Égyptienne baissa les yeux en rougissant. Elle tomba aux pieds de Pharaon.

— Voilà un geste qui aurait dû être spontané dès que je t'ai fait appeler !

— Par Isis, pardonne-moi, Pharaon tout-puissant. Quand j'adresse la parole à mon roi, je suis intimidée. Les déesses m'ôtent la parole et paralysent mes membres.

— Laissons cela ! Mais écoute-moi bien ! Je suis sûre que tu connais des femmes qui refusent de se plier aux règles établies dans ce camp ! Prends garde à elles et surveille-les bien ! Si elles inventent un quelconque stratagème pour sortir, refuse-leur cette faveur.

— Certains femmes se sentent puissantes parce qu'elles sont les favorites de Pharaon...

— Ne fais aucune exception ! Tu viendras ce soir au rapport. Tianou t'aidera à me faire le récit le plus clair possible ! N'omets rien et ouvre l'œil !

Le visage touchant le sol, l'Égyptienne promit obéissance au roi et lui souhaita une victoire prompte et efficace.

Le roi fit avancer ses troupes rapidement. Il avait envoyé des espions sur les collines alentour et au bord de l'Euphrate. Quand il parvint près du fleuve, il ordonna de mettre une nouvelle fois les navires à l'eau.

– Je suis étonné de ce silence, lui dit Amenmen. Je pensais que l'ennemi sèmerait des embûches pour nous empêcher d'arriver jusqu'à la citadelle. Au lieu de quoi, il nous laisse avancer sans encombre.

– Sans doute nos adversaires se sont-ils tous mobilisés dans la ville.

Dès que le roi se trouva au pied des murailles, l'adversaire envoya des flèches sur les soldats. Les Égyptiens placèrent leurs échelles le long des parois en se protégeant avec leurs boucliers. Le roi comprit très vite que ses archers étaient trop lents.

– S'ils ne se hâtent pas davantage, ils vont se faire massacrer ! D'habitude, ils sont plus habiles. Que leur arrive-t-il ?

– Je crois surtout, Grand Roi, que l'ennemi est plus entraîné ! Nos soldats sont surpris par leur adresse. Leurs flèches tombent plus vite que la pluie !

– Que peut-on faire ? Va-t-on abandonner ?

– Les troupes qui se trouvent dans cette ville sont nombreuses. Les hommes se relaient pour empêcher nos soldats de grimper. D'où viennent ces renforts ?

– On dirait que tous les Asiatiques se sont retrouvés ici pour nous repousser !

– Amenmen, Amon doit nous aider. Nous devons trouver une astuce pour déjouer leur plan !

– Je ne vois qu'une solution : attaquer sur plusieurs côtés. Leurs forces seront dispersées.

– Nous allons perdre beaucoup d'hommes !

– La victoire sera à ce prix, Thoutmosis.

– Donne tes ordres, Amenmen.

Sans perdre de temps, le général rejoignit ses troupes et divisa ses hommes. Il les encourageait de la voix et du geste tout en évitant les traits qui continuaient de fondre sur lui.

Les échelles furent bientôt disposées tout autour de la citadelle tandis que les Mitanniennes jetaient également des objets du haut des remparts.

Vivement entraînés par Amenmen, certains Égyptiens parvinrent enfin à monter jusqu'à mi-hauteur. Ce que voyant, Thoutmosis tenta de détourner l'attention. Contre toute attente, il décida de monter lui-même à l'assaut de la citadelle. Subitement habités d'un nouveau courage, les Égyptiens suivirent leur pharaon tandis qu'Amenmen parvenait enfin au sommet, tuant de nombreux hommes.

– Je connais ce général ! cria Ishtariou. Tuez-le ! Il est redoutable !

En reconnaissant sa voix, Amenmen resta un moment interdit. Cet instant d'inattention fut suffisant pour que l'un des archers mitanniens le blessât à l'épaule. Pliant, tout d'abord, sous la douleur, le général trouva, ensuite, le courage d'arracher la flèche tandis que ses hommes, désormais nombreux, repoussaient l'ennemi.

Le haut des remparts se transforma bientôt en énorme champ de bataille. Les femmes et les enfants descendaient se réfugier dans leurs habitations. Les hommes étaient si nombreux qu'ils se gênaient pour combattre.

Thoutmosis luttait maintenant contre des Mitanniens acharnés et bien armés. Le voyant près de lui, Ishtariou ne résista pas à l'envie de le provoquer. Il sauta d'un bond en face de lui et enleva son casque.

– Ishtariou !

– Tu es surpris, Thoutmosis ! Me croyais-tu réellement mort ? Mes amis m'ont sauvé dans le Sinaï alors que tes mineurs m'auraient laissé dévorer par les bêtes féroces ! J'ai décidé de les aider comme ils m'ont aidé !

– Est-ce possible ? Je suis habitué à tout et plus rien ne m'étonne.

– Et pourtant tu as commis une faute en me faisant confiance. Pourquoi aurais-je trahi mon pays ?

Thoutmosis se souvint des paroles de Kertari. Sheribu connaissait-elle la présence d'Ishtariou dans les rangs ennemis ?

– Comment peux-tu être assez ingrat pour venir me défier alors que je t'ai sauvé la vie ? J'aurais pu te tuer lorsque je t'ai fait prisonnier ! Non seulement je t'ai laissé la vie mais je t'ai donné un titre prestigieux : celui de conseiller du roi !

– Même les pharaons font parfois des erreurs, répondit Ishtariou. Ainsi donc tu as osé monter toi-même jusqu'ici ?

– Ai-je l'habitude de laisser mes hommes partir seuls au combat ? Jamais je n'ai abandonné mon armée ! J'ai hâte de te faire de nouveau prisonnier pour te faire défiler les fers aux pieds ! Ni Thémis ni Sheribu ne sauront m'amadouer ! Allons ! Bats-toi ! Qu'on en finisse !

Reconnaissant le roi, les soldats mitanniens s'écartèrent à la demande d'Ishtariou.

– Un Mitannien reste un Mitannien ! déclara Ishtariou. Tu aurais dû le savoir.

— Mon grand-père nous l'avait pourtant bien dit ! Mais je pensais que tu étais fidèle à ton père. Il était thébain, ne l'oublie pas !

— Il a été exilé à cause de Pharaon ! Que serait-il devenu s'il n'avait retrouvé une place honorable à la cour mitannienne ?

Tout en combattant, le roi cherchait à en savoir plus.

— Tu as la mémoire courte ! Le roi mitannien a condamné ton père à mort ! Et tu te prétends plus mitannien qu'égyptien !

— Mes amis sont ici. J'ai été élevé en Asie !

— Tu n'es qu'un traître comme ton père. Tu finiras dans la gueule de la chienne et tu ne seras jamais juste de voix. Prends garde au jugement dernier et à la pesée de l'âme !

Ishtariou se rua sur Thoutmosis un poignard à la main. Le pharaon esquiva le coup et tenta d'assommer le Mitannien avec son bouclier. Ishtariou tomba à genoux.

— Voilà la position dans laquelle tu devrais te trouver devant moi ! s'exclama le roi. Inutile de te relever. Tu retomberais aussitôt frappé par Amon, par le griffon qui ne lâche jamais sa proie, par le taureau qui piétine la terre, par le lion qui déchire ses victimes !

En apprenant que les deux hommes se battaient, Amenpafer se précipita vers eux.

— Il est temps de choisir ton camp ! lui dit Ishtariou. Soutiendras-tu encore Thoutmosis devant moi ? Dans ce cas tu devras me tuer !

— Ainsi donc tu savais qu'Ishtariou était encore en vie et tu m'as laissé croire qu'il était devenu osiris, lui dit Thoutmosis. Serais-tu, toi aussi, de son côté ?

Comme Amenpafer ne répondait pas, le roi lui ordonna de lui donner une explication.

– Grand roi, je ne t'ai jamais menti. Nous t'avons annoncé la disparition d'Ishtariou, non sa mort.

– Mais tu as eu, depuis, des nouvelles de lui ! Sheribu également ! Vous n'êtes que des traîtres et vous serez tous jetés aux crocodiles !

– Aucun Mitannien ne mourra plus sous tes flèches, dit Ishtariou en se ruant sur Thoutmosis. Ton glorieux destin s'arrête là !

Debout, le visage impassible et stoïque, l'arme en avant, Pharaon ne plia pas sous l'assaut d'Ishtariou. Le Mitannien se heurta à une telle puissance qu'il eut l'impression d'entrer en contact avec un mur. Étourdi, il vacilla malgré les encouragements des Asiatiques. Le roi en profita pour le blesser au ventre.

– Je ne te tuerai pas, lui dit-il. Ce serait trop facile. Tu vas défiler sous les huées ! Je te considérais comme mon meilleur conseiller. Tu as abusé de ma confiance. Sans doute as-tu revendu des informations aux peuples d'Asie !

– Je n'ai pas besoin de les vendre ! Je suis un Asiatique comme eux ! Je les soutiens !

– Comment ai-je pu me tromper sur ton cas ? Amon m'éclaire toujours. Je sais juger les fonctionnaires qui m'entourent !

– Crois-tu connaître Amenpafer ?

– Que veut-il dire ? demanda Thoutmosis en pointant son arme vers le fils de Thémis.

– J'avoue qu'il m'est difficile de combattre contre les Mitanniens qui sont mes frères, répondit Amenpafer. J'ai été élevé dans ces régions. Mais je n'ai jamais trahi Pharaon !

187

– Tu l'as trahi en lui laissant croire que tu étais le fils de Thémis et de Kay ! rétorqua Ishtariou.

Thoutmosis s'arrêta de combattre.

– Ishtariou fait allusion à une nouvelle que j'ai apprise lors de notre expédition au Sérabit el-Khadim, répondit rapidement Amenpafer.

– Je t'écoute, dit le roi sans baisser son poignard.

– Je serais le fils du roi mitannien qui a fait condamner Kay et Séti. Ma chère mère aurait été contrainte de partager la couche de cet abject souverain ! Jamais elle ne m'en a parlé. Elle ne sait même pas que je suis au courant.

– Je ne sais que croire, répondit Thoutmosis.

Amenmen vint chercher le roi. Les soldats égyptiens semblaient prendre enfin l'avantage mais la victoire n'était pas encore acquise.

– Tu n'as pas gagné ! lança Ishtariou.

– Allons-y ! cria le roi. Punissez ceux qui refusent de se plier aux volontés du roi d'Égypte ! Qu'ils meurent tous ! Que leurs femmes deviennent nos prisonnières !

Le combat se propageait maintenant dans toute la ville. Les Asiatiques étaient si nombreux qu'ils semblaient affluer en permanence dans la citadelle. Ils parlaient des langages divers selon qu'ils venaient du Mitanni ou du Retenou. Le roi de Kadesh avait une nouvelle fois envoyé des secours à ses compatriotes.

– Les flèches vont manquer ! constata le roi. Nous allons nous battre au corps à corps. Mes hommes ont été entraînés pour cela. Ils m'ont fait la meilleure impression avant de partir !

Peu à peu, les ennemis gisèrent aux pieds des Égyptiens. Pharaon avait perdu de nombreux soldats.

– Nous sommes encore inférieurs en nombre mais notre scribe a compté plus de mains que le fonctionnaire mitannien ! lui apprit Amenmen Nous avons donc massacré beaucoup plus de soldats ! Les paniers des scribes sont pleins !

– Pharaon ! Ishtariou est retourné au combat malgré sa blessure. Il vient de tomber sous les coups du chef responsable des fantassins !

– Par Amon, je ne puis croire que les dieux m'empêchent de le punir comme il le mérite !

– C'est trop tard, Horus d'or ! Ishtariou a bel et bien rejoint le domaine d'Osiris !

– Je veux moi-même constater sa mort ! Finissons-en avec ces maudits Asiatiques ! Je compterai les morts avec Tianou après la bataille !

XXII

Le combat dura pendant une journée et une partie de la nuit. Sous la lumière des étoiles, les tours de la forteresse, élancées vers les cieux dans un appel aux dieux d'Asie, se découpaient, menaçantes, devant les monts pelés parfois couverts de bosquets sur lesquels s'adossait la cité fortifiée. Tout autour, les remparts crénelés, beaucoup moins hauts que les tours, suivaient les dénivellations du terrain, formant comme une dentelle sur les collines noires.

Les Asiatiques y ayant prévu plusieurs sorties de secours, quelques Mitanniens tentèrent ainsi d'échapper au roi égyptien. Évitant les quatre portes officielles, ils gagnèrent la partie nord où ne se trouvaient que de rares habitations de notables. Un Mitannien avait pris la succession d'Ishtariou, entraînant des rebelles dans sa fuite.

– Par ici ! Les Égyptiens se battent près de la porte principale et en haut des remparts. Certains ont pénétré de force dans les riches demeures de nos plus hauts fonctionnaires. Le roi combat maintenant dans le palais. Malgré l'aide des habitants dont les fermes entourent la forteresse et qui se sont tous réfugiés dans la cité, je constate que les Égyptiens prennent l'avantage. Même le prêtre n'a pas fait brûler suffisamment de résine en l'honneur des dieux pour nous sauver ! Il est temps de nous échapper pour préparer notre défense un peu plus loin ! Sinon, nous serons tous exterminés et Pharaon n'aura plus qu'à s'installer tranquillement au Mitanni ! Il va bientôt s'emparer de notre drapeau qui flotte en haut de la plus haute tour ! Mieux vaut gagner des citadelles défendues par plusieurs remparts ! Je doute qu'il puisse alors les assiéger aussi facilement !

— Il existe une porte de sortie à l'est ! crièrent les rebelles. Allons-y !

Mais le Mitannien les arrêta.

— Ishtariou m'a montré un passage secret au nord de la citadelle. Suivez-moi ! Il a l'avantage de mener à un puits. Nous pourrons nous y désaltérer et rester là jusqu'à la fin du combat.

— Pourquoi ne pas en profiter pour nous sauver ?

— Ne prenons pas le risque d'être vus. Mieux vaut attendre dans les bosquets la fin de la bataille. S'il l'emporte, Pharaon croira qu'il nous a tous tués ! Nous le laisserons piller la citadelle. Pendant qu'il sera occupé à voler nos biens, nous filerons vers nos villes de l'est.

N'osant protester, les rebelles suivirent le Mitannien.

— Certains ne me connaissent pas, dit-il. Je m'appelle Peranu. Mon nom évoque la carte céleste, les étoiles et la destinée. Faites-moi confiance !

Ils atteignirent les habitations situées au nord par un petit sentier qui serpentait au-dessus des réserves où les Asiatiques avaient aligné leurs jarres d'huile, de vin et de vivres. Le chemin se trouvait en contrebas de telle sorte qu'aucun soldat ne pouvait les apercevoir.

— Prenez garde ! Ishtar est lumineuse ce soir ! Thoutmosis pourrait bien nous voir lorsque nous allons remonter. La salle principale du palais est légèrement en hauteur. Le pharaon doit avoir une vue plongeante sur les dépendances ! Il est malin. Les dieux lui donnent le regard perçant ! Souvenez-vous de la manière dont Ishtariou s'est heurté à la poitrine de pierre du roi égyptien. Amon avait alors transformé le pharaon en statue vivante ! S'il était sorti des carrières d'Assouan, il n'aurait pas été plus résistant ! On dit que les ouvriers, qui travaillent cette pierre exceptionnellement dure, cassent leurs outils sur elle !

Les Asiatiques rampèrent sur le sol pour ne pas être vus. Ils avançaient très lentement afin de ne pas attirer l'attention. Ils parvinrent enfin devant une porte étroite dissimulée par des branchages entre deux remparts.

— À cet endroit ont été construits deux murs, expliqua Peranu. L'ennemi n'en a aucune idée. Quand il se trouve dans la citadelle seul le mur intérieur lui apparaît. Quand il est dehors, il touche le mur extérieur sans se rendre compte qu'il ne s'agit pas de la même paroi.

Les Asiatiques se précipitèrent dans l'étroit passage aménagé entre les deux remparts. La faible largeur du couloir les obligeait à se plaquer contre le mur pour progresser. Ils parvinrent ainsi en haut d'un escalier en pierre.

— Descendons ! ordonna Peranu

Il baissa la tête pour passer l'encadrement d'une nouvelle porte puis il s'engouffra dans l'escalier tortueux. Celui-ci donnait sur l'extérieur de la citadelle.

— Nous sommes sauvés ! constatèrent les Asiatiques avec joie. Ces hautes herbes nous camouflent et personne ne connaît l'existence de ce passage. Nous pouvons gagner les collines en traversant ces bosquets !

— En effet, constata Peranu. Mais il nous faut trouver des mules !

— Plusieurs artisans habitent de l'autre côté de cette

colline, dit l'un des rebelles. Ils ont abandonné leurs bêtes pour se réfugier plus vite dans la citadelle. Dirigeons-nous vers leur demeure. Leurs ânes doivent encore s'y trouver.

Les hommes marchèrent dans les broussailles et les buissons jusqu'au puits puis ils partirent en direction du nord, laissant derrière eux le pharaon massacrer les Mitanniens.

Pendant ce temps, quelques chefs asiatiques commençaient à se rendre, réclamant l'indulgence de Pharaon et le souffle de vie afin de le transmettre à leurs descendants. Certains n'hésitaient pas à se jeter aux pieds du roi et à mettre les coudes sur le sol pour mieux se prosterner. Les femmes sortaient de leur refuge, offrant au pharaon de la vaisselle travaillée en ronde-bosse et des colliers d'une grande valeur.

Thoutmosis les accepta aussitôt.

– Amon va être satisfait. Servons-nous ! Le temple doit posséder des trésors ! Qu'un contingent gagne les réserves ! Emportez les céréales, la boisson et l'huile ! Je veux que toutes les armes soient rassemblées dans le palais ! Nous ne laisserons pas une seule bête dans cette cité ! Ces chars dorés sont aussi solides que ceux de Kadesh ! Il me les faut tous ! Nous en avons rapporté près de mille lors de notre dernière campagne ! J'en veux autant aujourd'hui !

Tous les chars, toutes les armes des peuples les plus reculés semblaient en effet réunis devant les yeux de Pharaon. Thoutmosis ne dissimula pas sa joie.

– Je suis le plus grand de tous les pharaons ! dit-il à Amenmen.

– Que vas-tu faire de tous ces prisonniers ? Nous ne

pouvons les ramener à Thèbes. Ils seront plus nombreux que les Thébains eux-mêmes !

– Ils ont compris qui était Pharaon ! Je vais choisir les chefs et les notables qui défileront pendant mon triomphe. Les autres repartiront chez eux attachés sur des mules et les yeux bandés ! Si les bêtes ont été bien dressées, ils arriveront à bon port. Sinon, tant pis pour eux !

Thoutmosis s'amusait déjà de cette pérégrination originale.

– Il n'y a pas ici de sapin solide, lui dit Amenmen. Veux-tu que nous voyions aux alentours ce qui pourrait t'intéresser ? Peut-être y a-t-il des arbres ouân ou des caroubiers ?

– Nous n'en avons pas le temps. Le bois du pays du Retenou nous suffit. Je préfère développer les forêts proches de Byblos. Leur cèdre est excellent pour nos navires et la construction des mâts qui flanquent nos temples.

Pendant plusieurs jours, les soldats égyptiens envahirent les habitations des Asiatiques, tant à l'extérieur qu'à l'intérieur de la citadelle. Aucune ne fut épargnée : ni les modestes demeures des artisans faites de deux petites pièces en pierre ni celles des hauts fonctionnaires, plus importantes, pleines de richesses.

Les Égyptiens emportèrent des coffres remplis de bijoux et de vêtements fins, du bétail, des vivres et des objets de grand prix. Ils comptèrent les jarres d'huile et les chargèrent sur leurs chars. Ils remplirent d'orge des paniers profonds et rassemblèrent les ânes et les onagres qui paissaient en liberté non loin de la citadelle. Certains de ces ânes sauvages étaient très utiles pour tirer de lourdes charges. Ils pouvaient être montés plus facilement que les ânes domestiques, moins hauts sur pattes et moins vifs.

Thoutmosis était particulièrement satisfait du nombre d'ânes des montagnes qu'il comptait rapporter à Thèbes. Ces animaux des régions du nord-est, auxquels les Mitanniens n'avaient donné aucun nom et que d'autres appelaient « chevaux », se laissaient aisément dresser. Le roi y vit l'opportunité de créer un corps de cavalerie important.

Thoutmosis fut émerveillé de découvrir le haras des princes mitanniens. Constitué d'un millier d'étalons et de deux mille pouliches médiques, nerveuses et soigneusement entretenues, le haras était le plus beau spectacle que le roi ait été amené à contempler. Les chevaux vaquaient dans un large espace entouré d'une clôture ou étaient attachés à un simple anneau.

— Je n'ai vu d'aussi beaux chevaux que près de Gaza, reconnut le pharaon en caressant l'encolure de quelques-uns d'entre eux.

— Cette région est un lieu très actif dans le commerce des chevaux, expliqua Amenmen. On y fait de fructueux échanges sur les marchés.

— Ces bêtes valent bien celles que nous avons rapportées de Meggido. Elles me semblent même plus fines et plus élégantes. Elles auront beaucoup de succès pendant mon triomphe.

— J'ai trouvé dans une cour proche d'ici de nombreux harnachements. Certains devaient servir aux défilés et aux fêtes. Ils sont garnis de plumes et de sonnailles. Qu'en faisons-nous ?

— Laisse ce qui ne sert qu'à la parade. Nous emporterons les mors et les équipements qui permettent aux bêtes de tirer les chars.

Les soldats passèrent toute la matinée à trier les bœufs à longues cornes retournées en spirales, les buffles qui venaient du fleuve, les moutons et les chèvres.

Thoutmosis envisagea même d'aller chasser le bison, le lion et le sanglier. Il avait entendu dire que les sangliers n'hésitaient pas à faire des ravages dans les basses-cours et qu'ils affrontaient l'homme avec courage et entêtement. N'ayant eu que peu d'occasions de chasser de tels animaux, Thoutmosis était curieux de les voir.Il fit également disposer des pièges à renards et à chacals non loin des puits.

Certains Égyptiens avaient ordonné aux Mitanniennes de traire leurs vaches. Assises derrière leurs bêtes, celles-ci remplissaient des jarres à col étroit tandis que d'autres recueillaient, avec une louche, dans des récipients plus larges et moins hauts, la crème qui s'était formée à la surface.

Comme les bergeries était également remplies de chameaux, le roi décida de tous les emporter. Il voulut aussi charger sur ses chariots les gazelles et les autruches domestiquées qui se pavanaient dans les cours des habitations extérieures à la citadelle.

– Abandonnons les chars mitanniens ! Ils sont peu solides et trop petits. Leurs roues se casseront sous le moindre poids. Que peut-on obtenir en échange sur les marchés ?

– Bien peu de chose, lui répondit Amenmen. Inutile de s'encombrer.

– Laissez les brebis marquées d'un astre, dit encore Thoutmosis à ses soldats. Ce sont les animaux d'Ishtar. Elles doivent appartenir à la déesse mitannienne. Je ne veux pas mécontenter les dieux. Prenez garde à ne pas les mélanger avec les autres !

Thoutmosis fit appeler Tianou.

– Combien as-tu totalisé de mains coupées ?

– Je n'ai pas terminé mon calcul. Mais Thot m'a déjà permis d'aligner des dizaines de chiffres.

– Avons-nous tué plus d'ennemis que d'habitude ?

– À coup sûr !

– Je voulais moi-même les compter avec toi...

– Ce n'est pas là le travail de Pharaon tout-puissant, répondit Tianou en se courbant. Fais-moi confiance. Aucune main, aucun phallus n'échappera au comptable. Il y aura autant de phallus tranchés que de victimes. Que fait-on des esclaves ? Ils tremblent dans les maisons et ne savent vers qui se tourner.

– D'où viennent-ils ? demanda Thoutmosis.

– De tous les pays. La plupart sont des prisonniers de guerre. Mais on a également trouvé des enfants et des femmes abandonnés par des Mitanniens endettés.

– Sont-ils marqués ?

– Oui. Ils ont tous la tête rasée et ils portent une marque sur l'épaule. Nous pourrions les vendre.

– Je préfère emporter du vin de palmier fermenté, des oies, des canards et du poisson séché au soleil. J'aimerais aussi faire goûter à la Grande Épouse royale ces brochettes de sauterelles qui craquent sous la dent.

Le roi s'empara ensuite de tous les biens du palais. Les deux jours qui suivirent furent nécessaires pour tout répertorier. Les scribes notaient le contenu de chaque maison.

Au terme de ces deux journées, Thoutmosis déclara qu'il retournait au camp. Il laissa Amenmen avec ses hommes pour terminer le travail.

XXIII

Sheribu refusait d'adresser la parole aux autres Égyptiennes. Malgré les ordres de Pharaon qui lui avait envoyé Tianou, elle ne consentait pas à lui parler, mettant ainsi sa vie en danger. Thoutmosis décida, finalement, d'envoyer sa garde personnelle dans le harem.

– Amenez-la-moi tout de suite, de gré ou de force ! cria-t-il, furieux. Je veux qu'elle se présente devant moi avant que cette clepsydre ne soit retournée !

Sheribu ne parut guère impressionnée par les soldats qui venaient la chercher. Elle ne quitta pas son lit et renvoya la responsable, apeurée par les mesures que prenait Thoutmosis.

– Si tu ne crains pas les crocodiles, pense à moi ! dit-elle à Sheribu. Personne n'ose discuter les ordres de Pharaon !

– Laisse-moi. Dis-lui que je suis très lasse ! Il comprendra pourquoi et il m'excusera !

– Allons, Sheribu. Aucune femme du harem, même si elle attend un enfant de Pharaon, n'ose s'opposer au roi d'Égypte !

La Mitannienne soupira et retint ses larmes.

– Je ne peux pas bouger. Des vertiges me contraignent à rester sur ma couche. Le roi n'est-il pas un être humain en même temps qu'un homme hors du commun, supé-

199

rieur aux autres ? Il comprendra. Il m'excusera. Qu'on lui rapporte que je suis souffrante...

— Je ne mentirai jamais au pharaon, répondit l'Égyptienne. Tu n'es pas malade. Tu es seulement contrariée et tu refuses de parler à quiconque...

— Tais-toi ! répondit Sheribu. Tu ne comprends rien et tu ne sais rien !

— Oh si, par Isis. Me croirais-tu stupide. Je sais que tu pleures la mort d'un traître ! Depuis que tu as appris la disparition d'Ishtariou, tu as perdu la raison. Tu refuses de t'alimenter. Tu bois cette liqueur de palmier plus forte que toutes les bières égyptiennes !

— Ne parle pas d'Ishtariou en ces termes ! Tu évoques la disparition d'un être cher qui a été élevé avec moi ! Un homme que je considérais comme mon frère, que j'aimais autant qu'Amenpafer !

— On raconte bien des histoires à ce sujet et Pharaon veut sans doute connaître le fin mot de l'affaire. Si tu ne réponds pas à sa demande, je me rendrai moi-même sous sa tente pour lui faire un rapport.

— Qu'importe le sort que les dieux me réservent. Je n'ai plus de force. Je ne parviens pas à trouver le sommeil. Qu'on me laisse en paix !

Malgré l'insistance des gardes, rien ne contraignit Sheribu à quitter le harem. Aussi Thoutmosis décida-t-il d'employer la force.

— Amenpafer, dit-il au jeune homme, encore troublé par la défaite des Mitanniens, va chercher ta sœur ! Dis-lui bien qu'elle est en état d'arrestation parce qu'elle a désobéi au roi ! Je la ferai juger par Rekhmirê dès notre retour à Thèbes ! Elle devra justifier ses sorties hors de ce camp et la raison pour laquelle elle a soudoyé l'un de mes gardes !

Comme le Mitannien le regardait, les yeux ronds, le roi ne put douter de son innocence.

– Tu es aussi surpris que je l'ai été. Je préfère cela !

– C'est impossible, Grand Maître ! Tu dois te tromper !

– J'ai fait enquêter. Il n'y aucun doute. Le garde a tout avoué et il m'a montré les cadeaux que ta sœur lui a faits !

– Mais tu ne peux arrêter Sheribu ! Elle attend un enfant de Pharaon ! Elle te vénère et te respecte ! Il doit y avoir une explication !

– Je n'en vois aucune sinon que cet abominable Ishtariou était en vie et qu'elle allait le rejoindre à mes dépens !

Le roi se tut quelques instants qui parurent très longs au Mitannien. Quelle sanction allait prendre Thoutmosis ? Contre toute attente, il sembla tout d'un coup plus affligé et triste que révolté.

– Je considérais Ishtariou comme un fils. J'avais confiance en lui. Je viens de perdre Rêthot et Ishtariou coup sur coup. Je me sens las ! Le métier de pharaon est bien difficile... Je suis parfois si seul avec Amon !

Amenpafer crut que le roi allait fléchir et revenir sur sa décision mais il renouvela ses ordres.

– Je vais chercher Sheribu.

– Tu n'y vas pas comme un frère mais comme un soldat qui accomplit son devoir ! Souviens-toi bien de cela !

Amenpafer marcha d'un bon pas vers le harem.

– Comment Sheribu a-t-elle pu se montrer assez stupide pour acheter un garde ?

Quand il arriva, sa sœur s'était endormie. Il la réveilla brutalement et lui dit que le roi l'attendait.

– Tu n'as pas le choix, Sheribu. Thoutmosis en sait plus sur ton compte que tu ne le crois. Je n'ai pas le droit de te parler. Mais prépare bien ta défense car je redoute le pire !

– Personne ne me fait peur, surtout pas Thoutmosis ! Je connais ses faiblesses. J'aurai tôt fait de prier Hathor pour amollir ses sens !

– Ne sois pas si sûre de toi. Tu as trahi Pharaon. Il en a la preuve. Même l'enfant que tu attends de lui ne l'amadouera pas.

Sheribu le regarda avec tristesse.

– Tu ne parais guère chagriné par la mort d'Ishtariou ! lui dit-elle. Tu viens ici me parler comme à une criminelle alors que j'ai toujours été fidèle à mes amis !

– Je crois que tu n'es pas étrangère aux agissements d'Ishtariou. S'il n'avait pas été jaloux de Pharaon, peut-être ne l'aurait-il pas trahi. Le roi égyptien l'a toujours bien traité. Il était heureux à Thèbes.

– Il aurait pu choisir la plus facile des solutions et mener à Thèbes une vie confortable ! Mais il était courageux et fier ! M'accuserais-tu de l'avoir entraîné dans le mauvais camp ? Penserais-tu que ma seule existence a précipité sa chute ? Tu connaissais mal Ishtariou ! Il n'a pas agi par jalousie mais par conviction !

Sheribu se retourna sur sa couche en tournant le dos à son frère. C'était sa façon particulière de signifier à son interlocuteur que la discussion était terminée. Elle croisa ses bras devant elle et y dissimula son visage. Ses longs cheveux noirs, négligemment étalés, recouvraient entièrement son dos et ses reins. Amenpafer ressentit beaucoup de tristesse pour sa sœur. Il la savait très éprise d'Ishtariou.

– Si tu refuses de te lever, je vais devoir t'y contraindre pour ton salut ! dit-il.

Mais Sheribu ne lui répondit pas. Aussi Amenpafer donna-t-il un ordre au soldat qui l'accompagnait. Celui-ci saisit Sheribu par les poignets et l'obligea à se tenir debout. Il lia ses mains derrière son dos et la poussa rudement en avant.

Sheribu regarda d'un air méprisant les autres femmes du harem qui l'observaient. Seule Kertari avait le privilège de dormir sous une tente individuelle pendant la période de deuil qui suivait le décès de Rêthot.

Amenpafer jeta une cape sur les épaules de sa sœur pour cacher sa nudité. Il évitait ses yeux accusateurs et noirs.

– Ton frère, ton ami, a péri sous les coups de Pharaon et tu traînes maintenant ta sœur au supplice ! Amenpafer ! Que les dieux te pardonnent !

– Cesse de gémir, Sheribu ! Je n'agis que pour ton bien. Si j'avais senti, ne serait-ce qu'une seule fois, l'opportunité de m'emparer de Pharaon et de le vaincre, je l'aurais saisie ! Ishtariou s'est montré irréfléchi et stupide ! Sa superbe l'a perdu.

Comme Sheribu se démenait en tentant d'échapper à ses bourreaux, Amenpafer lui avoua qu'il se souviendrait toute sa vie d'Ishtariou.

– Je le considérais comme mon frère. Nous avons grandi ensemble. Il n'aurait pourtant pas hésité à me tuer sur les remparts de la ville pour obtenir la tête de Pharaon !

Sheribu se laissa alors tomber à genoux et supplia de nouveau son frère.

– Ne m'oblige pas à rencontrer le roi aujourd'hui. J'ai trop pleuré. Mes paupières sont si gonflées qu'on ne voit plus l'éclat de mes yeux. Je ne me suis pas maquillée. La coiffeuse n'a pas eu le temps de brosser mes cheveux. Je n'ai aucune chance de séduire le roi...

— Est-ce ta seule arme face à la trahison ?

— Tu m'envoies au supplice, Amenpafer. Songe au chagrin que va en éprouver Thémis !

— Allons, relève-toi, Sheribu. Fais-moi confiance. Si tu ne te présentes pas maintenant devant Thoutmosis, tu seras exécutée ! Ta seule chance est de ne plus le faire attendre et de prier les dieux. Cet enfant que tu portes peut encore nous sauver !

— Je vais me présenter devant le roi et lui parler, finit-elle pas répondre. Mais je le fais pour toi et pour notre mère !

Amenpafer la saisit par le bras et l'aida à se relever.

— Je ne te comprends pas, Sheribu. Comment peux-tu continuer à haïr Pharaon alors que tu portes son enfant ? Tu ne comportes pas comme les autres femmes !

La Mitannienne lui sourit étrangement.

— Ishtariou affirmait que je ne ressemblais à aucune autre fille. Pharaon apprécie mes colliers et le rouge que je mets sur mes lèvres. Ishtariou me préférait naturelle et sauvage. Je ne suis pas faite pour être enfermée dans une cage dorée !

— Pense à ta vie et à celle de ton enfant ! Tu n'es plus l'adolescente qui est arrivée à Thèbes. Tu as mûri. Tu as goûté aux joies du palais thébain.

— Je préfère la liberté aux fastes imposés, répondit Sheribu. Le seul bonheur qu'il me reste est de songer qu'Ishtariou habitera toujours mon corps jusqu'à ce que je le retrouve dans l'Au-Delà. D'ici là, il m'a donné une tâche à accomplir et je ne le décevrai pas.

Huitième
partie

XXIV

Le temple de Karnak était troublé par le bruit des sculpteurs et des tailleurs de pierre. Depuis le retour de Pharaon, Menkheperrêsen et Rekhmirê ne s'occupaient plus que de retranscrire sur les murs du temple d'Amon les exploits du roi et le détail des trésors rapportés.

– L'Égypte est riche, dit le vizir en rejoignant le grand prêtre.

Il avait changé de pagne depuis le matin où il avait reçu de nombreux tributaires de Pharaon.

– Jamais aucun pays n'a autant comblé un dieu. Amon est entouré de bijoux et de biens. Les richesses que Pharaon rapporte de ses campagnes viennent grossir les redevances des pays soumis. On voit chaque jour les Africains se diriger vers mon bureau sur leurs chevaux ou leurs mules. Je me réjouis de contempler tant de produits si divers ! Thèbes possède sans doute les biens les plus étonnants.

Menkheperrêsen suivit le vizir vers le lieu le plus sacré du temple, là où se trouvait la statue d'Amon. Non loin de là, les sculpteurs gravaient des textes longs qui décrivaient en détail les impôts que les anciens ennemis de Pharaon payaient à l'Égypte.

– Que les dieux bénissent Tianou ! Il a tout écrit sur ses papyri. Nous pouvons ainsi noter le moindre chiffre.

L'un des sculpteurs écrivait le bilan de l'an 28 du règne de Thoutmosis III.

– Le Retenou avait été contraint de nous céder près de quatre mille bêtes ! constata le vizir. Trois ans plus tard, il nous donnait cinq mille vaches, moutons, bœufs et, ces dernières années, les habitants du Retenou doivent se priver de plus de six mille animaux pour en faire don à Thoutmosis ! Regarde ! Ils ont offert à Pharaon plus de trois mille jarres de ce vin doux qu'ils savent si bien préparer en badigeonnant leurs récipients de miel. Les fruits et l'huile viennent en grande quantité de ce pays rebelle.

– Les Thébains préfèrent les céréales du sud de l'Égypte.

– Mais ce n'est pas du pays de Koush qu'arrivent les pierres précieuses ! J'ai vu le dernier chargement : il était impressionnant. J'ai compté les petites pièces de mobilier relevé d'or et d'ivoire, les armes défensives et offensives en bronze et en argent, les chars brillants de pierres précieuses... Si le Retenou nous donne encore des milliers de jarres d'encens, nous n'aurons plus besoin d'envoyer des expéditions lointaines au pays de Pount. Et je ne te parle pas des femmes qui ont débarqué récemment du pays de Retenou. Le pharaon les aime tellement qu'il accepte de les incorporer dans son harem avec un personnel important !

– Il est vrai que les pays de Koush et de Wawat payent moins de tributs que le Retenou et qu'ils n'ont jamais donné au roi autant de biens. Le premier ne nous a apporté cette année que cinq cents têtes de bétail et quelques arcs faits dans le meilleur bois, le plus résistant ! Quant à Wawat, s'il nous a donné une centaine de vaches et de veaux, c'est à peu près tout !

– Pharaon apprécie particulièrement les tables en bois de santal, les coupes d'or et les chevaux qui viennent du Retenou et du Mitanni. Ils sont nerveux et vifs. Il les trouve très beaux et très racés.

– Cela nous change de nos mules ! répondit en riant Menkheperrêsen.

Un scribe lisait maintenant aux sculpteurs quelles quantités impressionnantes de deben d'argent et d'or extraits du Sinaï et de Nubie venaient d'arriver en Égypte.

– Il faut y ajouter ceux des pays de l'Est haïs de Pharaon, remarqua le grand prêtre.

– Pharaon a pris une décision capitale. Quand je lis ces listes de tributs apportés au roi, je ne peux que l'encourager à poursuivre son but.

– Précise ta pensée, Grand Vizir, lui demanda Menkheperrêsen. Tu sais que je préfère être au courant de tout pour mieux aider mon ami le roi à briller au firmament des étoiles.

– Pour assurer la paix et plaire à la déesse Maâtkarê, Thoutmosis se rendra chaque année en Asie. Il sait que les Asiatiques se révolteront toujours contre lui et qu'ils se coaliseront, Rien n'arrêtera jamais ces traîtres ! Afin de les contrôler, sans pour autant leur faire la guerre, le roi ira dans le Retenou et jusqu'à l'Euphrate.

– Il ne doit pas négliger non plus les peuples africains... Le sud de l'Égypte reste agité.

– Mais moins redoutable. Les habitants de Koush me semblent plus soumis que ceux du nord toujours mécontents de leur sort ! Je suis persuadé que le roi du Mitanni va se soulever contre Thoutmosis à la moindre occasion. Il a réussi à s'enfuir au grand dam du roi qui ne pourra le faire défiler pendant son triomphe.

— Amenmen était pourtant sûr de le tenir !

— Les Mitanniens sont malins. Le roi s'est enfui déguisé en simple soldat. Quand il est entré dans le palais et qu'il y a trouvé l'épouse du roi mitannien, Thoutmosis a naturellement pensé que c'était le roi qui était à ses côtés. Il portait la couronne royale et les attributs du pouvoir. En réalité, l'homme avait fui par un passage secret.

— Quoi qu'il en soit, la victoire de notre roi est totale.

Les deux hommes surveillèrent les artistes qui gravaient les textes historiques dans la pierre. Puis ils décidèrent de réfléchir à l'aménagement et à la décoration du temple de Thoutmosis qui devait s'imposer aux regards de tous.

À la cour, Thoutmosis écoutait les ambassadeurs. Des envoyés de l'île de Chypre venaient d'entrer. Jamais encore il n'avait reçu de marques de sympathie de cette île proche du pays du Retenou. Il regarda les cadeaux défiler devant lui : des plaques de cuivre, des vases, des fioles colorées.

— Remerciez le souverain de Chypre de sa générosité spontanée. Je m'étonne qu'il n'ait jamais fait alliance avec le prince de Kadesh sans cesse à l'affût de nouveaux alliés. Je ne puis que l'en féliciter.

— Voilà pour le pharaon Horus d'or des pièces en lapis-lazuli et en ivoire. Nous avons également apporté des troncs d'arbre de bonne qualité sur de larges barges qui se trouvent encore dans le débarcadère royal. Ce plomb te sera également bien utile...

– Dites-moi pourquoi le souverain de Chypre se montre si avenant... Serait-ce un piège ?

Les ambassadeurs, apeurés, se regardèrent. Le pharaon allait-il les emprisonner ? On le disait intraitable avec ses ennemis. Les récits de ses exploits étaient rapportés dans les cours royales par les poètes du monde entier. Partout, Thoutmosis était considéré comme un héros, un dieu inaccessible, auréolé d'une lumière céleste.

– Je sais que vous faites du commerce avec des villes importantes du Retenou. Vous vendez vos produits sur les marchés d'Alep. Vous n'entretenez que de bons rapports avec ces Asiatiques qui me combattent sans cesse.

– Maître tout-puissant, ce n'est pas parce que nous faisons du commerce avec les habitants d'Ugarit ou de Kadesh que nous ne respectons pas la force de Pharaon ! Notre souverain veut t'assurer qu'il n'acceptera aucune alliance avec les princes asiatiques.

– Voilà donc l'objet de votre visite ! Sans doute redoutait-il une invasion égyptienne sur son île de rêve où Hatchepsout et moi avons déjà envoyé plusieurs expéditions.

– En effet, pharaon. De peur que le souverain de Chypre ne prît le parti du Retenou, tu aurais pu envahir notre île et tuer nos enfants et nos femmes.

– Rapporte à ton souverain que Pharaon est juste et charitable ! Il accorde souvent son pardon à ses pires ennemis ! Pourquoi ferait-il du mal à ceux qui l'ont toujours apprécié ? J'enverrai bientôt une nouvelle expédition à Amathous pour y chercher du cuivre. Je préviendrai alors ton souverain. Qu'il m'accueille comme il se doit et qu'il prépare alors un gigantesque banquet. Je viendrai avec des femmes de mon harem et quelques danseuses égyptiennes ! Le roi d'Égypte, lui aussi, sait faire des dons magnifiques ! Votre voyage n'a pas été vain ! Mon scribe va écrire un message de remerciement à votre prince. Portez-le-lui au plus vite. En attendant, profitez ce soir de l'hospitalité de Pharaon. Réjouissez-vous ! Mangez et buvez ! Choisissez des femmes qui vous fassent oublier vos soucis et votre fatigue. Votre nuit sera douce...

Conscient qu'il ne pouvait régner partout en maître absolu sans respecter les coutumes de chacun et que les Nubiens n'accepteraient jamais de vivre comme les Asiatiques, Pharaon décida d'étudier comment il gouvernerait au mieux en imposant ses lois sans le faire sentir.

Il avait déjà fait ériger un temple en l'honneur du dieu des Nubiens Dedoun, Celui qui règnait sur le monde. Il tolérait les rites religieux de ces hommes du Sud et recevait même à la cour quelques sorciers à la peau noire, couverts de bijoux de la tête aux pieds. Le roi avait plusieurs fois parcouru ces terres encore sauvages et désertiques où les huttes étaient regroupées en petits villages dirigés par des chefs sorciers.

Thoutmosis avait même incorporé dans sa garde personnelle des Medjou originaires de Wawat qui habitaient autrefois près de la deuxième cataracte. Les pharaons avaient toujours apprécié ces policiers malins et autoritaires qui savaient se faire respecter des ouvriers, des paysans et des marchands. Si une grève menaçait parmi les artisans des tombes, les Medjou arrivaient immédiatement sur la Place de l'Équilibre et de la Justice pour mater les révoltés. Ils informaient le vizir de ces rébellions et retenaient les ouvriers qui étaient prêts à quitter leur village pour occuper des temples.

Sous Thoutmosis, rares avaient été les révoltes. Les ouvriers étaient tous bien traités. Les Medjou surveillaient chaque mois le transport des sacs de céréales et de vêtements qui leur étaient destinés.

Plus loin, jusqu'à la quatrième cataracte, les habitants du pays de Koush, encore hostiles à Pharaon, demeuraient cependant incontrôlables.

Face à cette civilisation, celle du Retenou et des autres peuples d'Asie, si brillante et organisée, enrichie par les échanges, l'agriculture et le commerce, paraissait venir d'un monde différent. Thoutmosis savait apprécier les qualités de ces marins et de ces marchands. Il comptait bien respecter leur organisation. Mais le nombre de leurs habitants représentait la moitié de son nouveau royaume. Une centaine de régions avaient encore leur prince ou leur roitelet. Aussi Pharaon n'envoya-t-il en Asie que des gouverneurs égyptiens chargés de rapporter plusieurs fois par an à Thèbes les tributs des peuples conquis.

Afin de faciliter les échanges avec l'Asie, Thoutmosis ordonna d'aménager des routes. Les messagers, les scribes collectant les redevances, les chars circulaient ainsi plus aisément. Les gouverneurs faisaient des rapports réguliers qui arrivaient sur le bureau du haut fonctionnaire chargé de les lire et de les classer. Le même Égyptien ouvrait la correspondance des princes asiatiques et en rendait compte au roi.

Il fut également décidé qu'en sus de la campagne royale, Amenmen partirait chaque année avec une garnison pour rappeler aux Asiatiques qui était le maître des lieux. Quand Thoutmosis avait besoin de troupes, Amenmen allait en chercher. Quand il manquait de navires pour surveiller les côtes, les Asiatiques

213

lui envoyaient des bateaux capables de transporter des dizaines de soldats. En échange de ces services, Thoutmosis tenait à assurer aux peuples d'Asie son total soutien.

— Je vais me rendre dans la capitale de Bouhen juste après mon triomphe, annonça-t-il à Rekhmirê. Je dois longuement parler avec le vice-roi. Il est si difficile de diriger les deux régions qui bordent les cataractes. Je ne crains rien des habitants de Wawat qui me sont fidèles. Mais les Koushites ne m'inspirent aucune confiance. Je vais renforcer la cité de Bouhen. Le mur ne me paraît pas assez haut. Je voudrais ajouter un fossé et des tours.

— Tu l'as déjà embelli de nombreux temples. Les rues sont plus praticables. Des meurtrières, les archers peuvent tirer facilement sur tous les ennemis qui approchent.

— Mieux vaut encore rajouter une tour ou deux. Tu choisiras les soldats qui constitueront la nouvelle garnison. Celle qui est en place est insuffisante. Si ces maudits Koushites tentent encore de se révolter et de réclamer leur indépendance, nous les accueillerons avec des flèches ! Je ne veux pas non plus que notre commerce soit perturbé par ces sauvages ! Les bateaux doivent naviguer en toute tranquillité.

Rekhmirê approuva le roi. Il lui demanda s'il avait l'intention de changer les fonctionnaires qui géraient la région du Sud. L'un se trouvait en Basse-Nubie, l'autre dans le pays qui s'étendait de la deuxième à la quatrième cataracte.

— Non, répondit aussitôt Thoutmosis. Le vice-roi les juge très efficaces. Je lui fais confiance. En revanche, je vais envoyer là-bas de nouveaux fonctionnaires thébains...

— Il sera difficile de les choisir sans provoquer de mouvements d'humeur.

— Si l'un d'entre eux discute les ordres de Pharaon ou ceux du grand vizir, fais-moi un rapport. Il sera immédiatement jugé ! Demande, auparavant, s'il y a des volontaires. J'augmenterai leur salaire pour les inciter à partir. Leur vie ne sera pas malheureuse. Ils honoreront leurs dieux comme s'ils vivaient à Thèbes. Dedoun est un dieu apprécié des Égyptiens. Il ressemble tant à Horus que nous l'avons adopté. Nos Égyptiens ne seront pas désorientés. Je serai, ainsi, le roi pacifique et juste du plus grand empire qui soit !

XXV

La veille de son triomphe, Thoutmosis III fit compléter un texte qu'il avait ordonné de graver dans le temple de Karnak. Plus que dans aucune autre campagne précédente, il avait senti la présence d'Amon à ses côtés. Il avait même eu l'impression que le dieu était entré à l'intérieur de son enveloppe charnelle. Il souhaitait le raconter et remercier les divinités. Les ennemis avaient pris peur parce qu'ils n'avaient pas contemplé les traits de Pharaon mais ceux d'Amon.

Quel que fût le dieu que vénéraient les peuples, Pharaon rappelait ainsi à tous qu'il incarnait le dieu tout-puissant, Celui qui apportait la lumière, la vie et la naissance. Il représentait les astres, le Soleil ou Ishtar selon les régions auxquelles il s'adressait. Les Crétois le vénérèrent comme un animal puissant et indomptable semblable à ceux qui ornaient leurs murs. Les Chypriotes le voyaient, tel un oiseau fabuleux, survoler leur île de ses ailes dominatrices. Les habitants du pays des Échelles, où Pharaon envoyait encore des expéditions, préféraient le comparer à l'étoile la plus brillante qui fût.

À tous les conquérants, il apparaissait armé, filant sur un char en or plus vite qu'une gazelle, contrôlant les abords des fleuves avec l'œil vigilant et sournois d'un crocodile. Les Hellènes se méfiaient de lui comme d'un fauve prêt à bondir. Semblable à un oiseau de proie, le roi était capable de survoler les régions hostiles et de fondre sur elles à tout moment.

Menkheperrêsen redoutait parfois les ambitions de Thoutmosis. Il l'inclinait à plus de modération.

— Les divinités ne prendront-elles pas ombrage des stances que tu souhaites voir reproduites sur les parois des murs de Karnak ? lui dit-il. Tu t'assimiles à Amon. Tu fais parler Amon. Il te reconnaît comme son fils.

— Ne suis-je pas égal au dieu puisque celui-ci me donne sa force et son courage ? Je veux que tous les peuples adorent Amon même s'ils conservent leurs croyances. Ce ne sera guère difficile pour les habitants de la première cataracte ou pour nos amis de Byblos. Ils ont toujours vénéré Isis ou Hathor. Je souhaite que les Mitanniens, eux aussi, fassent une place à nos divinités dans leur panthéon. Ils pourront aussi adorer leurs dieux Ishtar et Shamash.

— Si tu le dis, Grand Roi.

— Souviens-toi de Byblos. La ville est remplie de ces rites égyptiens qui rendent hommage aux rois, à nos ancêtres et à nos dieux. Certains peuples ont tenté de convaincre nos alliés de se retourner contre nous. Ils venaient encore des régions hostiles de la Mésopotamie. Mais Byblos est toujours revenue vers Pharaon. Nous la traitons bien et elle nous reçoit comme une ville égyptienne.

— Byblos reste une exception. Je crains que ces échanges ne s'effectuent pas aussi facilement dans toutes les régions.

— Nous y veillerons.

Thoutmosis dicta lui-même les textes qu'il voulait voir

reproduits près du *naos* d'Amon. Il y ajouta quelques symboles de paix et d'union. Il prétendait prôner désormais l'équilibre et l'entente.

— Maât est l'une des déesses que je préfère, ne l'oublie pas. Hatchepsout n'a pas seule le privilège de la chérir. Je veux, moi aussi, que règnent ici la paix et la quiétude. Mon peuple a mérité d'être heureux. Certains paysans se sont enrôlés spontanément dans l'armée alors qu'ils avaient des récoltes à effectuer. Ils y ont beaucoup perdu.

— Mais ils y ont gagné en richesses.

— Les dieux les ont récompensés pour leur courage et leur fidélité. Je souhaite faire encore une distribution de biens. Les trésors que nous avons rapportés nous le permettent. Soyons généreux ! Les Égyptiens rendent toujours à leur roi ses largesses lorsqu'ils ont appris à l'estimer. Si nous donnions tout à Amon, des grincheux se plaindraient et refuseraient de me suivre lors des prochaines campagnes. Certains tenteraient peut-être de se servir et de commettre un vol impie au temple de Karnak !

Menkheperrêsen, outré, jura que la sécurité était parfaite et que nul ne pouvait franchir l'espace sacré sans y être invité.

— Je ne mets pas en cause ta vigilance. J'essaie seulement de t'expliquer quelle est ma politique. Je crois que l'on est toujours récompensé si l'on est juste et large. J'aurai peut-être un jour besoin de rassembler une armée considérable dans un minimum de temps. Je sais que je pourrai alors compter sur mes hommes, y compris sur les prisonniers de guerre qui auront travaillé dans ma garde, dans mes garnisons ou dans mes champs !

Menkheperrêsen admira la grande sagesse du roi.

– Tu es devenu un roi exemplaire. Tu t'es révélé comme un grand conquérant, comme un soldat exceptionnel formé par les meilleurs généraux, ceux de Thoutmosis Ier. Aujourd'hui tu donnes à tous la preuve que tu es aussi un très grand homme politique.

– Menkheperrêsen, conquérir et agrandir son royaume est une bonne chose. Savoir le garder et le gérer est beaucoup plus dur ! D'autres ont tout perdu en accroissant leur territoire sans l'administrer. Je ne veux pas recevoir une leçon sur ce plan. Mes ancêtres se sont limités à régner sur un pays plus petit. Mais ils ont été respectés et aimés. Il est plus facile de se faire craindre sans être apprécié que de soulever le respect et l'amour.

Comme Menkheperrêsen le regardait avec joie, le roi comprit sa pensée.

– Je ne suis plus le fougueux adolescent qui, telle une pouliche mitannienne, courait en tous sens sans prendre le temps de méditer. Tu t'en étonnes sans doute.

– Je crois surtout que tu es encore très jeune et que seuls les hommes exceptionnels ont le pouvoir de se dominer et de contrôler leurs actes lorsqu'ils ont ton âge. Tu es d'une race supérieure.

Parce qu'il éprouvait beaucoup d'estime pour Menkheperrêsen dont il écoutait attentivement les conseils, Thoutmosis ressentit un bonheur extrême à l'énoncé de ces paroles.

– Je te connais, grand prêtre. Tu dis ce que tu penses. Tu ne me mens jamais. Si tu ne m'approuvais pas, tu me le ferais comprendre. Je suis donc d'autant plus flatté par tes remarques.

– Si je peux me permettre de juger le Seigneur de ce royaume, j'affirmerai qu'il se trouve sur la meilleure des voies. Au bout du chemin s'ouvre le tunnel. Tu y trouveras la lumière éternelle, la chaleur de Rê, la vérité et la gloire.

*
**

Thoutmosis n'avait pas revu Sheribu depuis leur dernier entretien Dans le camp égyptien, elle n'avait guère eu l'occasion d'amadouer le roi. Peu enclin au pardon, celui-ci l'avait écoutée sans pitié en lui posant mille questions.

Sheribu avait dû reconnaître qu'elle avait corrompu un garde royal, qu'elle voyait Ishtariou en secret et qu'elle était informée du plan mitannien. Le roi la considérait, désormais, comme une grave menace pour l'Égypte. Il se rendait compte que Kertari lui avait dit la vérité et il regrettait de ne pas l'avoir écoutée avant.

– Tu m'as fait perdre beaucoup d'hommes, avait-il reproché à Sheribu. N'importe quel souverain t'aurait aussitôt condamnée à mort pour ta conduite. Tu as même trompé le roi dans ses sentiments les plus intimes. Comment as-tu osé faire de Pharaon le rival d'un adolescent tel qu'Ishtariou ? Pharaon est au-dessus de tous les hommes. Il ne peut être comparé à aucun. Or, tu lui as préféré un simple particulier ! J'aurais cent raisons de t'envoyer à la torture !

Le seul argument de Sheribu restait son état mais le fait qu'elle attendît un enfant de lui n'avait pas attendri Thoutmosis. La jeune femme avait reçu l'ordre de ne jamais quitter le harem. Celui-ci était attentivement surveillé par une vingtaine de gardes. Le roi avait également recommandé à la surveillante de veiller sur la santé de Sheribu. Si elle tentait d'écourter sa vie terrestre, il fal-

221

lait l'en empêcher par tous les moyens, quitte à lui lier les poignets et les chevilles.

Le roi convoqua l'un des médecins du palais. Il lui exposa ce que Sheribu lui avait appris sur le champ de bataille.

— J'ai l'impression que cette fille m'a menti. Je ne vois sur son corps aucun signe de grossesse. Si elle attendait un enfant de Pharaon, son ventre aurait déjà grossi.

— Pas nécessairement, Grand Roi, lui répondit le médecin. Les conséquences d'une grossesse ne sont pas les mêmes pour toutes les femmes. Certaines grossissent plus que d'autres. Sheribu est une danseuse souple et athlétique. Son corps sortira indemme d'une telle épreuve.

— Je veux en avoir le cœur net ! Donne-moi une réponse le plus vite possible et ne te trompe pas ! Le sort de Sheribu dépendra sans doute de ta réponse !

Le médecin sourit. Il pensait le roi très désireux d'avoir un nouveau fils surtout après la disparition de Rêthot dont les funérailles étaient prévues juste après la célébration du triomphe.

— J'ai des moyens infaillibles de savoir si Sheribu est enceinte. N'aie crainte. Tu seras bientôt informé.

— Tu la trouveras dans le harem. Personne n'a le droit de lui parler. Je vais donc dicter un message à Tianou pour que la surveillante te laisse entrer dans sa chambre. Prends garde à elle. Elle a déjà corrompu des soldats. Elle pourrait bien essayer avec toi ! Tu sais alors quel sort te réserverait Amon !

Le médecin s'inclina profondément.

— J'ai toujours obéi fidèlement à Pharaon, Horus, Dieu parfait dans sa Majesté.

Thoutmosis lui fit signe de se retirer. Il avait hâte d'entendre le vizir lui raconter le déroulement de son futur triomphe.

– Si elle m'a menti, Sheribu défilera avec les autres prisonniers. J'hésite encore sur le sort de Thémis. Elle a donné naissance à Amenpafer qui me reste fidèle même s'il ne m'a pas révélé la présence d'Ishtariou dans les rangs ennemis. Je crois bien que je l'aurais méprisé s'il l'avait fait. N'était-il pas son compagnon, presque son frère ?

XXVI

Sheribu dut se plier de mauvaise grâce aux désirs du médecin qui voulait lui faire boire des mixtures écœurantes.

– Si tu parviens à les boire sans vomir, cela signifiera que tu n'attends pas un enfant de Pharaon. Sinon, je pourrai écrire un rapport favorable et tu seras sauvée ! Nous devons savoir si la divinité t'a visitée et si le dieu Khnoum qui aide à la conception favorise la venue au monde d'un nouvel enfant de Pharaon. Je sais que le roi le vénère à Assouan et qu'il est attentif à la construction de son temple. C'est lui qui facilite la formation du liquide créateur dans le ventre de l'homme et qui permet sa transformation dans le ventre de la femme.

– Pharaon doit posséder ce liquide en grande quantité.

– Certainement car il est très attiré par les femmes et il a une charpente osseuse exceptionnelle. Or, tous les médecins savent que la substance créatrice permet aux os d'être plus résistants et à la moelle épinière d'exister. Sans moelle, le corps ne peut produire aucune semence.

– Tu as l'air très renseigné à ce sujet.

– J'ai lu des traités africains. Les sorciers en connaissent long sur la question. Créer est important. Mais il faut savoir le faire en beauté. Seul le dieu permettra au

225

petit être de se développer correctement. Pour cela, Khnoum doit solidifier le liquide créateur et lui donner une forme agréable.

– Sois béni, dieu Khnoum, dit aussitôt Sheribu. Toi qui emplis la femme de liquide et de graine, toi qui crées sur ton tour de poterie, toi qui malaxes la semence et l'unis à la femme pour en faire un œuf.

– Tu as raison de prier les divinités. C'est grâce à elles que cet œuf se formera et que l'enfant que tu porteras en sortira. Le dieu sait aussi transmettre aux enfants de Pharaon leur origine divine. Pour l'instant, tu n'as pas besoin de te rendre à Assouan pour faire des offrandes à Khnoum. À Karnak, le dieu Khonsou, lui aussi, a le pouvoir de rendre la semence fertile et solide comme un os dans l'œuf qui abritera le nouveau-né.

– En revanche, quand cet enfant grandira, seul Khnoum sera capable de le faire beau et en bonne santé.

– Remercie aussi Pharaon car lui seul peut apporter les parties solides du corps. Sans lui, l'enfant n'aura pas d'os et sans os il ne pourra ni se mouvoir ni vivre normalement.

– J'en suis consciente. Ma peau deviendra lait tant que cet être sera au fond de moi. Je remplirai ainsi ma mission et mon rôle maternel..

– Si tu accouches d'un garçon, ton lait sera si bon qu'on pourra l'utiliser dans la composition des médicaments. Sheribu, le pharaon est la semence divine. Souviens-toi du texte que la reine Hatchepsout a fait reproduire sur les parois de son temple. Elle prétendait qu'Amon avait pris les formes de son père Thoutmosis Ier pour s'unir à sa mère. Il lui a alors transmis ses sentiments, son caractère. Le dieu a également introduit le sang dans la substance osseuse. Qu'une goutte de ce sang jaillisse et tombe sur le sol ; tu y verras pousser des plantes. Si une femme l'avale, elle accouchera quelques mois plus tard d'un enfant.

– Je ne crois pas qu'il soit convenable de mentionner ici le nom d'Hatchepsout.

– On ne changera rien à ses origines divines.

– Où vas-tu ?

– J'ai besoin d'ingrédients. Attends-moi là. Si tu es sûre de ne pas avoir menti, bois déjà ce breuvage à base de carapace de tortue pilée. Ton enfant aura ainsi quelques cheveux en naissant. Le roi aime beaucoup ce détail surtout s'il s'agit d'un garçon. Il y voit un futur signe de virilité. Quand tu accoucheras, on fera boire ton lait au nouveau-né et il ingurgitera le blanc de l'œuf que tu auras perdu. S'il vomit, il risque fort de ne pas survivre. Les dieux lui feront rejeter la substance qui le compose. En revanche, s'il rit en buvant le tout, il vivra très vieux. Crois-en mon expérience ! Je ne me suis jamais trompé !

Le médecin laissa Sheribu un peu déconcertée. Elle venait d'apprendre tout ce que les Égyptiens savaient sur la conception de la vie. Sa mère ne lui en avait jamais tant dit.

– Mettre au monde un enfant de sang divin est bien différent que d'accoucher d'un nouveau-né ordinaire. Thémis ne pouvait pas savoir que je rencontrerais un jour Pharaon.

Les yeux de Sheribu exprimèrent alors une crainte indescriptible.

– Et si ce médecin trop habile comprenait tout ? Si les manifestations habituelles, propres aux femmes accouchant d'un enfant du roi, ne se produisaient pas ?

Lorsqu'il revint avec de nouveaux breuvages, Sheribu

refusa, tout d'abord, de le recevoir mais, devant l'insistance du petit Égyptien qui lui promettait un triste
avenir dans une prison moite et obscure, la Mitannienne
finit par céder.

– Je ne cherche à tromper personne, dit-elle avec hauteur. Si j'ai déclaré à Pharaon que j'étais enceinte, c'est
parce que j'attends un enfant. Je n'aurais jamais osé lui
mentir. Qu'il mette aujourd'hui ma parole en doute me
fait de la peine.

Elle laissait le médecin verser ses potions dans des
coupes en argent et le regardait attentivement.

– Es-tu sûr de ces préparations ? Je ne voudrais pas
être empoisonnée !

– Si le roi m'a choisi, je pense avoir prouvé mes com-
pétences.

– Après tout, Thoutmosis craint peut-être que je ne lui
mente de nouveau. Quoi de plus légitime ? Il a découvert
notre stratagème. Il a appris que je revoyais Ishtariou
à son insu. Et pourtant... A-t-il réellement compris
mes sentiments ? Jamais je ne serai une Égyptienne !
Jamais je ne lui obéirai comme le font Kertari ou Sobek !
Il doit me garder telle que je suis ou me condamner à
mort !

– Ne parle pas ainsi, par Horus. Je refuse d'écouter
tes confidences. Tu m'effraies et toutes les prières que
j'adresserai aux dieux ne suffiront pas pour effacer tes
paroles !

– Contente-toi de me donner cette potion verte qui a
la couleur de la malachite. Qu'as-tu donc mis dans cet
affreux mélange ? Il sent l'œuf pourri !

– Si tu es déjà écœurée, c'est plutôt bon signe ! Tu
rendras cette boisson plus rapidement et Pharaon sera

heureux. Je n'ai pas terminé. Tiens la coupe devant toi et prends garde à ne rien renverser.

Le médecin saisit un récipient au col étroit. Il introduisit un morceau de bois à l'intérieur et remonta un insecte qui s'accrocha au copeau.

– Que vas-tu faire de cet animal ? Je hais ces bêtes noires qui craquent sous les semelles !

– Rassure-toi ! Je ne le noierai pas dans cette coupe. Je vais prononcer des formules pendant que tu boiras tout en tendant l'insecte devant tes yeux.

Sheribu recula en portant la main à son collier en turquoise.

– Recule ! Ces amulettes me porteront chance et éloigneront de moi le malheur. Cette bête est symbole de laideur et de maux !

Le médecin ne tint pas compte des réticences de la Mitannienne. Il finit par lui donner la coupe et lui demanda de boire d'un trait.

– Mieux vaut que tu ne saches pas ce qui constitue cette potion. Cela ne nuira pas à ta santé, je te le promets.

Sheribu but d'un trait sans respirer. Quand elle reprit son souffle, un goût amer avait envahi son palais. Celui-ci était âpre.

– J'ai soif ! dit-elle. Tu m'as asséché la gorge !

– Mais non ! Calme-toi par Thouéris ! Cette réaction est normale. Que ressens-tu ?

– Rien de particulier. J'ai l'impression que les peintres de la place de Maât m'ont badigeonné la bouche avec leurs mixtures.

Sheribu porta alors sa main à son ventre.

– Mon corps s'agite. J'ai l'impression d'être habitée par un mauvais esprit.

– Qu'il sorte de tes veines et de ta chair ! dit le médecin. Je serai comblé !

Sheribu pâlit subitement. Elle se plaignit de crampes d'estomac puis elle se tint les reins. De violentes douleurs agitaient le bas de son dos. Elle porta enfin ses mains à ses lèvres et se précipita dans le jardin. Le médecin courut derrière elle.

– Voilà ! dit-il satisfait. Tu es bel et bien enceinte ! Je vais de ce pas en parler au roi ! Ainsi donc tu donneras bientôt un fils ou une fille à Pharaon ! Tu dois être heureuse...

– Cette mise en scène était inutile ! Me voilà malade comme un homme après un banquet ! Je n'ai pourtant bu ni vin ni bière ! As-tu au moins quelque médicament à me donner pour m'éviter de rendre les pâtisseries au miel que j'ai mangées ce matin.

– Hélas non, belle Sheribu. Mais les cadeaux que te donnera Pharaon et son pardon valent bien tous les remèdes du monde ! Songe que tu aurais pu finir dans un cachot ! Au lieu de quoi, les dieux te permettront peut-être d'avoir une demeure aussi belle que celle de ta mère Thémis !

Sheribu faillit lui avouer qu'elle n'en avait cure. Elle préféra, toutefois, s'abstenir de révéler ses sentiments à un homme tout dévoué au roi. Elle en avait déjà trop dit.

– Allons ! Cours chez le roi ! Laisse-moi me recoucher ! J'ai été souffrante pendant tout le voyage. Au lieu de me soigner, tu m'as rendue encore plus nauséeuse. Tu es vraiment un drôle de médecin !

– Rassure-toi ! Je vais trouver le roi. Mais sache que tu ne seras pas longtemps dans cet état. Après ces jours difficiles, tu reprendras des forces ; tu deviendras plus belle que jamais ; ton corps s'épanouira dans la joie. Tu seras heureuse de vivre. Tu mangeras beaucoup. Tu goûteras à des mets que tu ne connais pas. Tu auras envie de nouveaux plats, de sauces inconnues, d'épices étranges venues de régions lointaines. Pour assouvir tes désirs les plus fous, Pharaon enverra peut-être des expéditions jusqu'au pays des Échelles !

– Il faudrait qu'il change d'avis à mon sujet. Je doute qu'il vienne me rendre visite avant longtemps !

– J'ai vu Pharaon contenter bien des femmes !

Sheribu le pria de se retirer. Les vertiges l'empêchaient de rester debout. Le médecin l'aida à se coucher. Puis il appela la responsable du harem.

– Prends soin de cette femme. C'est un ordre de Pharaon, lui dit-il.

Un peu surprise, l'Égyptienne n'osa pas discuter. Elle s'assit sur un tabouret au chevet de Sheribu qui s'endormit aussitôt.

XXVII

Presque rassuré de ne pas devoir sévir contre Sheribu qu'il trouvait toujours à son goût, Thoutmosis mit tout en œuvre pour que Rêthot ait l'embaumement le plus réussi. Il laissa Kertari choisir l'embaumeur qu'elle désirait. Il fit dresser la liste des produits dont il avait besoin. Il tint à l'entendre lui-même parler de son expérience et de celle de son père.

– Quatre-vingts jours seront nécessaires à mon travail, dit-il. Jamais personne ne m'a versé une telle somme pour un embaumement.

– Te sens-tu capable de réaliser ce qu'on te demande ?

– J'ai appris ce métier de mes parents qui l'ont eux-mêmes appris de leurs ancêtres. Sans aucune forfanterie, je peux dire que nous sommes les meilleurs !

Cette déclaration enthousiaste fit sourire Thoutmosis.

– Eh bien, prouve-le ! Nous ne te payons pas pour avoir un embaumement ordinaire mais pour obtenir la perfection.

Le pharaon se rendit ensuite à Deir el-Bahari pour rencontrer Djéhouty qui avait avancé les travaux du temple. Il suivit le chef de chantier jusqu'à la Vaste Prairie où étaient enterrés les rois. Les pousses de Thémis avaient déjà été plantées devant l'entrée de la tombe de Thoutmosis Ier.

– Ce sanctuaire est suffisamment éloigné de la tombe d'Hatchepsout. Ma tombe se trouvera ici, sur la gauche. Je serai ainsi enterré tout près de mon grand-père qui m'a montré le chemin de la victoire et les dangers qui viennent d'Asie !

Las du chemin parcouru sous la chaleur, Djéhouty s'assit sur un rocher et regarda la paroi en calcaire qui se dressait devant lui.

– Ai-je bien compris, Maître ? Tu souhaiterais voir ta tombe aménagée dans cette falaise ?

– Il ne s'agit pas d'une falaise, tout au plus d'un mur rocheux qui ne résistera pas aux outils de mes ouvriers ! Lorsque je serai enterré dans la faille que nous creuserons, aucun pilleur de tombe ne m'y trouvera. J'ai longuement réfléchi à ce que je voulais. Une rampe provisoire permettra d'accéder au milieu de cette paroi. Là, les ouvriers creuseront un couloir qui redescendra en pente raide vers un puits. Si un Égyptien tente de se hasarder par ici, il perdra la vie !

Djéhouty écoutait le pharaon béatement. Il se demandait si les rois avaient parfois conscience du travail qu'ils exigeaient.

– Nous atteindrons alors une première salle décorée de divinités. Un escalier permettra de descendre plus profondément jusqu'à une deuxième salle décorée de piliers où Anubis et Hathor me tendront la croix de vie et les attributs du pouvoir. En contrebas sera exposé mon sarcophage en quartzite rose taillé à Assouan, un sarcophage au couvercle si lourd que personne ne pourra le soulever.

– Ainsi seront protégés les bijoux que tu porteras, ton masque funéraire...

– Et ma momie ! Le plus important pour que je puisse

vivre tranquillement dans l'Au-Delà et que mon corps ne soit pas maudit !

– Je vois que Pharaon a pensé à tout, dit tranquillement Djéhouty, sauf peut-être à la manière dont tout cela va être réalisé...

– Depuis quand un roi égyptien aurait-il à se soucier d'un tel problème ? À toi de me contenter !

Djéhouty hocha la tête.

– Hélas, Pharaon, ce sera impossible.

– Que dis-tu ?

– Même si je voulais encore servir le maitre des deux terres après avoir dirigé le chantier de Deir el-Bahari et celui de la tombe de Thoutmosis Ier, les dieux ne me donneront jamais assez de vie pour entreprendre ta tombe. Je suis fatigué, Maître. J'aspirais à profiter d'une retraite méritée. Pour te servir le mieux possible, j'ai accepté de partir à Assouan et d'en rapporter un magnifique obélisque. Je travaille toute la journée sur ton temple. Quand il me reste un peu de temps avant le coucher du soleil, je marche jusqu'ici pour surveiller les ouvriers. J'arrive épuisé, les pieds en feu et le cœur battant. Un jour, les gardes me trouveront étendu sur le chemin. J'aurai franchi la porte de l'Au-Delà et parlerai déjà avec Osiris ou Anubis.

– Ma jeunesse me fait oublier que tu as servi sous d'autres pharaons avant moi. Je suis impitoyable. Désigne celui qui s'occupera de ma tombe. Je te fais confiance. Tu le choisiras mieux que moi. Tu as formé d'excellents architectes.

Comme Thoutmosis souhaitait entrer dans la tombe de son grand-père, Djéhouty le lui déconseilla.

– Les ouvriers ont presque fini de creuser le couloir, ce qui entraîne parfois des éboulements. Leurs femmes et leurs fils n'ont pas encore déblayé la place. Il est difficile d'avancer sans se blesser les pieds.

— Qu'importe ! Laisse-moi entrer ! Cette tombe restera modeste. Je préfère enlever le plus vite possible le corps de mon grand-père de la tombe d'Hatchepsout afin de lui donner sa propre sépulture plutôt que de le savoir auprès de sa fille qui fut si indigne de régner !

— Nous terminerons donc plus vite que prévu.

Thoutmosis III allait rebrousser chemin quand il contempla une nouvelle fois la roche qui allait accueillir son sarcophage.

— Les Thoutmosis reposeront tous les uns près des autres. Méryrêt, elle aussi, sera enterrée ici. Elle s'est toujours montrée obéissante et courageuse. J'ai la chance d'avoir une Épouse que beaucoup de pharaons m'envieraient.

— Sans aucun doute, Seigneur du Double Pays.

— Méryrêt-Hatchepsout II aura donc sa tombe près de la mienne. Ici !

Thoutmosis pointait l'index au bas de la paroi qu'il avait choisie pour sa propre sépulture.

— Cette tombe sera dirigée vers le haut de la falaise qui domine Deir el-Bahari. Nous pourrons ensuite penser à la tombe de mon fils Aménophis II. Lui aussi reposera non loin de nous !

— Qu'il en soit comme tu le désires, répondit Djéhouty en se relevant avec peine.

— Profite de mes chars pour rentrer à Thèbes, lui dit le roi.

— Si je veux être ici à l'aube, il me faut coucher sur place. Je n'ai guère l'occasion de jouir de mon domaine !

— Je vais songer à ce que tu m'as dit, promit Thoutmosis. Présente-moi le plus vite possible ceux qui sont dignes de te succéder et qui ne feront jamais pâlir de rage un pharaon !

*
**

Choyée comme toute femme attendant un enfant de Pharaon, Sheribu devait se soumettre, contre son gré, à de nombreux examens qui la contrariaient.

Le médecin du palais ne la quittait plus. Chaque jour, il venait constater que sa patiente ne souffrait d'aucun mal utérin. Sheribu avait également dû pratiquer un examen complet de ses dents.

— Toute femme souffrant des gencives a un problème utérin, lui rappelait le médecin. Veille à m'appeler à la moindre douleur. Je devrais alors faire immédiatement sortir ces sécrétions néfastes qui seraient en toi.

On avait enduit Sheribu de lie de bière pour savoir si l'accouchement aurait lieu normalement. Heureusement pour la cour, la jeune femme avait vomi une fois, signe qu'elle n'attendait qu'un seul enfant et que celui-ci viendrait au monde facilement.

La Mitannienne avait également dû se plier au test de l'ail placé à l'intérieur de son ventre. Parce que l'odeur remontait jusqu'à sa bouche, on en avait conclu que ses conduits vitaux n'étaient pas bouchés et qu'elle mettrait au monde un enfant sain.

— Pince-toi le ventre le plus souvent possible quand il grossira, lui conseillèrent quelques savants qui avaient l'habitude de fréquenter les banquets de Pharaon. Si la peau revient bien en place, c'est qu'elle est encore souple et qu'elle est bien irriguée. Tout se passera bien.

237

Lasse de tant d'attentions, Sheribu préférait ne rien apprendre et laisser libre cours à la nature. Elle se sentait maintenant en parfaite santé et elle reprenait des forces après quelques semaines difficiles. Qu'importe que le blanc de l'œuf dût être déposé après l'accouchement sur une brique posée sur le sol. Les divinités l'aideraient bien à rejeter toute matière étrangère à son état habituel.

Sheribu ne voulait plus se laisser examiner les yeux ni guetter la germination de l'orge ou du blé pour savoir si elle attendait un garçon ou une fille. Elle ne voulait plus non plus prononcer des formules magiques qui favorisent l'allaitement. Aussi écrivit-elle au roi pour ne plus être dérangée par des médecins accaparants.

– J'ai tout subi, dit-elle à sa mère. J'ai bu à jeun du beurre et du lait de nourrice. Ce mélange m'a encore fait vomir. J'ai déposé à l'intérieur de mon corps une gousse d'ail qui m'a brûlé la peau. Le lendemain, au matin, j'avais une si mauvaise haleine que j'aurais fait fuir tous les hommes de la cour ! J'ai assez démontré que l'enfant qui allait naître vivrait et que je me remettrais vite ! Qu'on me laisse en paix !

Thémis lui expliqua que le roi s'inquiétait de sa santé.

– Surtout de celle de son futur enfant ! Il veut avoir la confirmation qu'il s'agira d'un garçon et je crois savoir que la Grande Épouse, qui attend, elle aussi, un bébé, interroge chaque jour le médecin à ce sujet.

– On dirait que tu redoutes toutes ces visites, lui dit Thémis qui connaissait bien sa fille.

– Sheribu ne craint jamais rien ! lui répondit la Mitannienne.

XXVIII

Juste après son triomphe et les funérailles de Rêthot, Thoutmosis manifesta le désir d'honorer ses ancêtres. Il ne se passait guère de jour sans qu'il accomplît ses devoirs. À ses yeux, les pharaons qui l'avaient précédé méritaient de grands égards.

Thoutmosis III ne s'occupait pas uniquement d'entretenir le souvenir de son grand-père. Il avait déjà fait ériger à Karnak une statue de son arrière-grand-père et une autre de Thoutmosis II. Comme en témoignait le Akh Menou, un monument précieux aux yeux du pharaon parce qu'il y était représenté en train de rendre hommage à plus de soixante pharaons, Thoutmosis respectait ses ancêtres.

Le roi était également conscient comme ses prédécesseurs que graver ou écrire un texte, une épitaphe et un dessin lui donnait l'immortalité et le faisait entrer dans la postérité.

Amon méritait un temple d'une grandeur exceptionnelle : Thoutmosis faisait sans cesse agrandir ou embellir Karnak. Lui aussi voulait avoir, comme Hatchepsout, comme Thoutmosis Ier, le pylône de la gloire. Il en fit ériger un où commençait à luire l'or le plus pur. Dans le grès, dans la porte en bois du Retenou, brillaient le métal des dieux et le bronze verdâtre. La porte s'ouvrait sur une salle hypostyle où s'activaient maints ouvriers recouvrant encore de dorure les extrémités des colonnes. Des petites chapelles accueilleraient bientôt les statues de Thoutmosis III et de ses ancêtres. Le roi pouvait lire les exploits de ses premières campagnes sur les murs gravés de dessins remarquables. Debout dans son char, il tirait de l'arc avec une belle assurance, le visage presque souriant. Les Asiatiques se rendaient après le siège de Meggido. La présence de Thoutmosis fondu dans la pierre était telle qu'il semblait revivre. Son cheval, majestueux et vif, la tête tournée vers le combat, la grandeur de son arme qui remplissait tout l'espace, son assurance et sa prestance de jeune guerrier indomptable lui donnaient un air divin qui le plaçait au-dessus des simples mortels. Cette représentation lui transmettait à jamais la puissance d'Amon.

Si cette scène évoquait l'Asie et ses peuples définitivement soumis, l'autre face du pylône était également prise d'assaut par les sculpteurs qui représentaient la soumission des Nubiens.

Mais Thoutmosis ne s'en était pas tenu à un seul monument. Il avait aussi ordonné d'agrandir le temple de Karnak de deux autres pylônes. Les ouvriers se rappelaient encore les efforts qu'ils avaient fournis pour transporter la porte en granit de l'un d'entre eux. De chaque côté de cette porte d'une belle hauteur qui perdait sous le soleil ses chauds reflets rosés, Thoutmosis apparaissait de nouveau sur des bas-reliefs à peine achevés. Partout, les prisonniers imploraient le roi à genoux. Ils tendaient les mains vers lui. Thoutmosis tenait son bâton en ivoire. Il cédait à Amon tous ces hommes qui l'honoreraient jusqu'à la fin de leur vie. Des drapeaux hissés en haut de longs mâts en cèdre signalaient aux Thébains qui l'auraient oublié que Thoutmosis régnait sur l'Égypte pour l'éternité.

Quelques habiles sculpteurs étaient en train de graver les noms des chefs vaincus sur les socles de deux statues en granit. Une autre statue de Thoutmosis dominait l'entrée du pylône. Il écrasait les peuples vaincus de sa haute taille. Non loin de ces représentations gigantesques où les Asiatiques semblaient à jamais anéantis par le Maître de l'Égypte, quatre autres statues à l'effigie du roi coiffé de la couronne blanche, plus traditionnelles, le montraient avec les attributs du pouvoir croisés sur sa poitrine.

Plutôt que de faire abattre le pylône d'Hatchepsout, Thoutmosis avait décidé de faire marteler le nom et l'image de l'usurpatrice pour y placer ceux de son père. Il avait flanqué ce pylône de statues familiales assises. Le roi appréciait les motifs harmonieux. Il n'hésitait pas à réclamer de la verdure, des jardins, des marais, des oiseaux pour animer ces murs de pierre un peu froids qui abritaient chaque jour de nouveaux dons. Autant d'offrandes offertes au Nil ou à Amon. Autant de victuailles mangées par les prêtres d'Amon après les rites quotidiens. Thoutmosis n'était-il pas, lui aussi, un pharaon protecteur qui assurait la subsistance des Égyptiens ? Aussi le voyait-on porter de la nourriture ou des fleurs de lotus, symboles de régénération.

Près de l'endroit sacré où reposait la barque d'Amon, Thoutmosis, tantôt roi de Haute-Égypte, tantôt Maître de Basse-Égypte, tendait des offrandes au dieu.

241

Thoutmosis retrouva Menkheperrêsen près de la cha-
pelle-reposoir.

— Te voilà ! lui dit-il avec beaucoup de chaleur. Je
pensais que Rekhmirê était avec toi. Je voulais vous
parler.

Menkheperrêsen contempla avec satisfaction la
magnificence de la chapelle au mélange impressionnant
d'albâtre, de grès et de granit rose.

— Ce reposoir est prêt ! lui dit le grand prêtre de
Karnak. Il est tout de même plus beau que le précédent !

— Nous avions fait le mieux possible pour la célébration de mon premier jubilé en l'an 30 de mon règne.
Mais je veux fêter maintenant ma deuxième fête-sed !

— Je ne comprends pas, Pharaon ! Un jubilé se célèbre
au bout de trente ans de règne. Il ne s'est écoulé que
quatre années depuis ton premier jubilé. Si tu avais été
malade, si tu avais connu des revers de fortune, si tu
avais vaincu avec difficulté, tu aurais besoin de prouver
au peuple que tu es toujours aussi vigoureux. Mais ce
n'est pas le cas. Pourquoi t'imposerais-tu les épreuves
qui accompagnent tout bon jubilé ? Il est inutile de nous
montrer combien tu es rapide à la course ou adroit au
tir à l'arc ! Voudrais-tu rivaliser avec un taureau comme
le fit autrefois la jeune Hatchepsout ?

Personne ne craignait plus de mentionner le nom de
la Pharaonne devant Thoutmosis qui ne la considérait
plus que comme un souvenir bien pâle en comparaison
de celui qu'il laisserait de ses exploits.

— Je ne redoute pas une mort symbolique et j'attends
une renaissance où je gagnerai encore en force et en
jeunesse. Aménophis était très jeune lorsque nous avons
fêté mon premier jubilé. Pendant ces nouvelles réjouis-

sances, il se rendra pleinement compte de la puissance de son père et de sa future fonction.

– Ce n'est pas une mauvaise idée, finit par dire Menkheperrêsen. Rien ne nous empêche de fêter ce jubilé au mieux. L'or ne manque pas ! Par Horus, tes années sont si remplies que tu as accompli en douze mois ce que d'autres réaliseraient en dix ans ! Tu mérites donc bien un jubilé après toutes ces campagnes !

Thoutmosis éclata de rire.

– Tu trouves toujours le mot juste ! Que ferais-je sans ton soutien. Tu as fait de ce temple le plus magnifique qui soit. Qui aurait été capable de succéder à cet ancien prêtre dévoué à Hatchepsout, cet Hapousneb qui hante encore mes nuits les plus tristes ?

– Sans les trésors que tu as rapportés et sans tes projets grandioses, je doute que quiconque eût honoré ainsi Amon. Le temple de Karnak ne doit sa grandeur et sa beauté qu'à tes seules initiatives. Les obélisques dominent tes pylônes et tes statues colossales. Debout ou assis, porteur du sceptre et du chasse-mouches, tu resplendis dans le grès ou le calcaire. Tes ancêtres t'entourent. Amon reçoit tes offrandes. Les peuples africains et asiatiques n'osent pas relever la tête sous tes sandales. Tu n'as rien laissé au hasard, même pas ces petits couloirs entre les murs, même pas le découpage de certaines parois, le dessin des bas-reliefs, le matériau des portes. Tes réalisations resteront éternelles !

Thoutmosis prit plaisir à déambuler dans cet espace divin qu'il avait marqué de sa touche personnelle. Pendant très longtemps, le temple de Karnak, agrandi par Hatchepsout, avait été le repaire de la reine qui se disait fille du dieu Amon. Elle s'y sentait chez elle. Elle y voulait les plus grands édifices, les plus beaux pylônes, les obélisques les plus hauts. Elle y avait célébré, non loin de là, sa fête-sed et son couronnement. Thoutmosis III l'avait vue maintes fois encenser la statue du dieu à sa place ou avec lui alors que lui seul aurait dû avoir ce privilège. Il se souvenait encore de ses ordres lorsqu'Amon était porté jusqu'au Nil puis vers son petit temple de Louxor.

Aujourd'hui, Thoutmosis III pouvait se promener en paix dans cet univers sacré. Lui aussi avait fait élever des pylônes en grès et en or. Lui aussi avait fait tailler des obélisques dans les carrières d'Assouan. Lui aussi figurait sur les bas-reliefs avec la couronne blanche et rouge, à côté du dieu Amon à qui il tendait des offrandes.

Le roi passa d'un mur à l'autre dans le plus grand silence. Ses pas s'entendaient à peine sur le sol. Il revint vers le sanctuaire et se tint sous les portes couvertes de dorures qu'il contempla avec ravissement. Elles étaient signées de son architecte. Il en franchit le seuil, l'âme en repos. Les mains derrière le dos, le front paisible, il pénétra avec plus de bonheur encore dans la salle où s'étalait le récit de ses exploits. Après chaque campagne, s'ajoutait une partie de sa vie. Partout, la déesse de la stabilité et de l'équilibre, la vénérée Maât, veillait sur Pharaon en compagnie d'Amon qui toujours se fondait avec le destin et la vie du roi. Partout, Thoutmosis Menkheperrê et Amon étaient unis. Leur entente et leur gloire étaient jointes dans une même force.

Thoutmosis se dirigea vers l'ancien sanctuaire d'Amon puis il continua plus au sud vers l'Akh Menou qu'il avait fait bâtir il y avait plusieurs années et qu'il chérissait.

– J'ai fêté mon jubilé en ce lieu, symbole de renaissance. Je viendrai y puiser une force nouvelle pour mon deuxième jubilé !

Thoutmosis leva les yeux vers le haut des colonnes majestueuses. Il contempla les deux statues qui avaient été placées de part et d'autre de la porte en bois de cèdre.

– J'étais resplendissant et juvénile dans mon habit de cérémonie mais, aujourd'hui, sous ce vêtement jubilaire se devinera un vaillant guerrier ! Peut-être rajouterai-je ici même d'autres statues plus récentes.

Thoutmosis franchit le seuil de granit et suivit un couloir. Quelques oiseaux étaient venus se nicher dans les angles. Ils s'envolèrent à son approche. Le roi ne s'en préoccupa pas. Il relut sur les murs le déroulement de sa fête-sed. Il imagina une fête plus prestigieuse encore.

– Il est impératif qu'une partie des rites se déroule dans la grande cour du temple. Menkheperrêsen, tu y placeras, comme d'habitude, un trône avec un baldaquin. Aucun grand prêtre ne supprimerait les différentes manifestations athlétiques qui ont habituellement lieu dans les diverses salles du temple. Prévois-les au nord, au sud, à l'est et à l'ouest. Elles représenteront le symbole de ma domination sur le monde entier. J'y suis particulièrement attaché à un moment où j'étends mon pouvoir dans tous les pays. Je n'échapperai pas non plus à la reconstitution de ma mort, à mon assimilation à Osiris et aux rites des prêtres en vue de ma résurrection.

Le roi lut attentivement le texte que le dieu des savants et de l'écriture avait prononcé lui-même pour le placer sous la protection d'Amon devant toutes les divinités.

– Je vais faire compléter ce texte, dit Thoutmosis en faisant appeler un scribe. Je veux que toutes les divinités reconnaissent mon pouvoir et qu'elles remercient Thot de les avoir informées de ma nouvelle force.

Comme le scribe les rejoignait, le grand prêtre lui montra le texte que le pharaon voulait modifier.

– Le roi tout-puissant fait le bilan des constructions qu'il a réalisées ici ! Écoute bien et note tout.

Puis se tournant vers Thoutmosis :

– Tu as raison, mon ami. Je voulais, moi aussi, ajouter quelques mots. Que dirais-tu de ces phrases ? « Les dieux prennent note du discours d'Amon encourageant son fils Thoutmosis III qui est le plus grand pharaon et le plus parfait. Ils se chargent de purifier et de protéger l'endroit où se dresse Thoutmosis. Ils honorent son courage et sa beauté illuminée par Rê. Ils lui donnent des offrandes ainsi que le veut Amon pour l'éternité. »

– Ce texte me plaît, dit Thoutmosis, flatté.

– Ainsi, aux yeux de tous, dieux ou humains, ton pouvoir sera incontestable et sacré.

– J'ai également pensé que les images de naissance et de vie devaient être multipliées sur les murs, ajouta Thoutmosis en pénétrant dans la troisième pièce de l'Akh Menou. Vois ce passage entre cette salle et celles qui se trouvent derrière le temple. Les murs en sont bien nus alors que des scènes agréables ornent les autres parois. Pourquoi ne pas reproduire comme ici des scènes champêtres ou aquatiques qui rendraient l'atmosphère printanière et charmante ?

– Ces scènes rappellent les champs et les vergers d'Asie. On les a fait représenter juste après l'une de tes campagnes...

– Eh bien ! Ajoutons encore des tableaux de ces plaines fertiles qui symboliseront l'éternelle renaissance de mon pouvoir. Les arbres de l'Oronte croulent sous les fruits. De même, Pharaon va bientôt se gorger du suc régénérateur de la vie ! Ainsi tous les peuples, même en Asie, participeront à ma fête-sed !

Thoutmosis se sentait étonnamment bien dans ce petit monument rayonnant où étaient honorés le dieu faucon et le dieu thébain. Le pharaon, rêveur, se plaça contre l'un des piliers en lapis-lazuli, en argent et en turquoise et imagina le discours qu'il pouvait prononcer dans la cour centrale.

– Je parlerai de la course du soleil tout en regardant ce plafond étoilé. Ces voûtes bleues m'inspirent. Djéhouty a eu raison d'en représenter dans tous les temples.

– Je préfère mettre l'estrade dans la cour principale. Il y a plus de place. On verra mieux Pharaon. Le peuple pourra l'entendre de l'extérieur. Dans ce monument, seuls les familiers du roi bénéficieront de son auguste parole.

– Soit ! Mais la procession pourrait déambuler entre ces murs et se diriger vers le sanctuaire aux piliers osiriaques où je domine tout. Peu de gens ont pu admirer la statue du *naos*. Je la trouve si touchante. Je mets mon bras sur l'épaule d'Amon. Nous ressemblons à deux frères.

Le grand prêtre répéta les paroles de Pharaon afin que le scribe n'oubliât rien.

– J'ai une autre idée qui plairait aux dieux et au peuple, ajouta Menkheperrêsen.

– Dis-la-moi.

– Te souviens-tu du temple en l'honneur de Ptah que tu as ordonné de restaurer au début de ton règne ?

– Bien entendu ! Il était en ruines !

– Le travail a été long car il nous a fallu tout reconstruire en pierre et en grès. Utiliser du bois aurait été vain. Même le cèdre pourrit. Seule la pierre permet d'atteindre l'éternité.

– J'avais réclamé des portes en cèdre du pays du Pount.

– Djéhouty a eu l'idée de les faire recouvrir de cuivre. Seul le mur qui entoure le temple est encore fait de briques. Mais il sera possible de le modifier. Nous avons paré au plus pressé : contenter le dieu Ptah, si honoré à Memphis, qui était délaissé à Thèbes. Les architectes ont agrandi le temple. Le dieu est assis dans un trône d'or.

– Il est vrai que j'ai, moi aussi, abandonné Ptah. Nous ne l'avons guère honoré depuis que je suis roi. Ma fête-sed nous en donnera l'occasion. As-tu rendu quelques hommages au dieu que mes ancêtres considéraient comme le premier de tous ?

– Je ne l'ai pas oublié. J'ai mis en place des rites qui le contentent. Outre son trône magnifique, le dieu est entouré d'offrandes présentées dans les plats et les coupes les plus belles. Je n'ai pas lésiné sur l'utilisation de l'or, de l'argent et des pierres précieuses dont la plupart viennent du Sinaï. Les prêtres utilisent chaque jour l'encens le plus pur pour plaire au dieux. Il vient du pays des Échelles. Les membres du clergé portent tous des tuniques en byssos fabriquées dans les ateliers proches de Karnak ou dans ceux du palais.

– Bien ! conclut le roi. Me voilà satisfait ! La Grande Épouse a eu l'idée d'occuper les femmes du harem à des tâches ménagères. Elles tissent, brodent, plantent même des fleurs !

– Ainsi n'ont-elles plus le temps de comploter.

– Toi aussi tu me parles de complot dès que j'évoque mes harems. Je vais donc également occuper mes femmes à des tâches sacrées. Puisque le dieu Amon possède un domaine de près de deux mille aroures qui ne sont pas entièrement cultivées, je vais ordonner à certaines filles de cultiver un jardin agréable. Inutile d'acheter sur les marchés ce qu'on peut faire pousser ici pour remplir les paniers d'offrandes.

Le scribe reprit son calame et se remit à écrire fébrilement sur un simple geste du grand prêtre.

– Note que je désignerai de nouveaux serviteurs pour s'occuper du domaine d'Amon. Le fils du roi de Kadesh y travaillera ainsi que tous ses semblables, qu'ils soient enfants de chefs asiatiques ou africains.

– Nous aurions également besoin d'autres prisonniers plus ordinaires...

– Je te les accorde !

Thoutmosis en avait fini. Il se dirigea vers la sortie tout en admirant les cadeaux faits récemment au dieu : de hauts vases en or ; des barques en métal précieux ; des jarres pleines de vivres, d'huile ou de vin ; des coffres de pierres rutilantes ; des ustensiles en argent et en cuivre ; des instruments de musique où brillaient entre les cordes la turquoise ou la cornaline.

En passant devant une autre de ses statues, Thoutmosis détailla les offrandes qui se trouvaient devant Amon coiffé de la double plume.

– Je crois qu'Amon est heureux d'avoir de tels objets. Personne ne vient le troubler dans son sanctuaire. Il me communique son amour et se réjouit de mon admiration pour lui. Il m'aime comme un fils à qui il cède ses biens. Je sens en ces lieux les divinités comblées.

– Grâce au sort que tu leur as réservé. Elles reconnaissent les bienfaits que tu as rendus à Amon. Elles espèrent que tu vivras longtemps pour poursuivre ton œuvre. Tu mérites des cadeaux.

– Le premier sera de parcourir le ciel avec Rê.

Thoutmosis monta dans le char qui l'attendait devant le premier pylône du temple puis il ordonna au cocher de le conduire jusqu'à l'embarcadère. Là il prit l'une de ses barques en or, traversa le Nil et se fit conduire jusqu'au temple de Medinet Habou où Hatchepsout avait embelli le petit sanctuaire commencé sous le règne de son père. Cet emplacement lui plaisait. Isolé de tout, le temple était le refuge des oiseaux. Le roi aimait y venir tôt le matin avant que Rê n'écrasât de ses rayons les petites salles aux nombreuses ouvertures. Derrière les murs s'étendaient les monts de la Vaste Prairie. On distinguait à peine l'entrée secrète de quelques tombes de nobles.

– Thèbes n'est pas l'Égypte, dit Thoutmosis en retournant sur la rive est. Je dois me rendre en Nubie. Je veux aussi embellir les temples de Satet et de Khnoum. Nekhbet aura aussi son sanctuaire. Osiris possède déjà son domaine à Abydos. Je le ferai entourer, comme le temple de Karnak, de hauts sycomores et de fleurs odorantes. Les couleurs de mes jardins rivaliseront avec les peintures des artistes et les joyaux rapportés d'Asie. Que seraient le temple d'Héliopolis construit pour le Soleil, le sanctuaire de Ptah à Memphis si des parterres de fleurs ne mêlaient pas leurs teintes étonnantes aux pierres précieuses luisant sur les bas-reliefs, les statues, les monuments ?

Le chemin le long des champs et des canaux d'irrigation parut plaisant au roi. Les paysans le saluaient. Les enfants couraient derrière son char. Il était aimé.

– Ainsi donc Sheribu va me donner un enfant, dit-il en riant. Voilà qui laisse présager d'étranges lendemains ! Quand elle sera mère, elle deviendra peut-être plus soumise. Qu'elle oublie cet Ishtariou ! Toutes les femmes se ressemblent ! Elle ne résistera pas à des colliers en or !

XXIX

Thémis reçut enfin un message du roi l'autorisant à voir sa fille. Depuis son retour d'Asie, la Mitannienne n'avait guère pu l'embrasser. Elle avait appris qu'Ishtariou était finalement mort pendant la campagne au Mitanni mais l'attitude du pharaon restait mystérieuse. La rumeur courait que Sheribu allait finir sa vie en prison.

– Enfin l'autorisation que j'attendais ! dit Thémis en serrant le message du pharaon sur sa poitrine. Je vais savoir ce qui s'est réellement passé pour que ma fille soit ainsi mise à l'écart alors qu'elle avait les faveurs du roi !

Thémis appela ses servantes et se fit habiller en hâte. Elle était si nerveuse qu'elle ne parvenait pas à draper convenablement sa tunique.

– Coiffez-moi vite ! Je veux être correcte si je rencontre le roi au palais mais je ne veux pas arriver après le coucher du soleil. Je perturberais les habitudes de Pharaon.

Trois jeunes filles s'activèrent autour d'elle, apportant les parfums, les crèmes, les peignes, les broches, les ceintures, les bijoux. Thémis regardait rapidement ce qu'elles lui tendaient.

– Cette ceinture dorée me semble convenable sans être ostentatoire. Voyons, ce collier en perles, cette broche en lapis-lazuli, ces boucles d'oreilles assorties, ces bracelets en or et cette perruque courte me paraissent suffisants. Ajoute peut-être un diadème.

Thémis se regarda à plusieurs reprises dans un miroir dont le manche représentait un lotus.

– J'ai les traits fatigués. Le traitement infligé à ma fille perturbe mon sommeil. J'arrive peut-être au terme de ma vie...

– Ne parle pas ainsi, maîtresse, l'implora l'une des servantes.

Thémis s'empressa de monter dans son char. Les portes du palais lui furent ouvertes. Quand elle se fit annoncer dans l'aile où résidaient maintenant les femmes du harem, Sheribu se précipita pour la serrer contre elle.

– Viens dans le jardin. J'ai enfin l'autorisation de m'y promener. Aucune de ces filles n'entendra nos propos. On jase tant sur mes revers de fortune...

– Que se passe-t-il ? demanda Thémis en la suivant. Comme tu as forci ! Pharaon te délaisserait-il ? Il s'est lassé de toi. Il préfère d'autres femmes... De nouvelles prisonnières...

– Ce n'est pas si simple, soupira Sheribu. Assieds-toi sur ce banc. Je vais réclamer des boissons et des pâtisseries. Éloignons-nous des enfants du roi qui sont en train de suivre leur cours de gymnastique.

– Par Isis, cesse de me faire languir ! Raconte-moi tout !

– Mère, je ne t'ai pas tout dit en rentrant d'Asie.

Sheribu lui parla d'Ishtariou, de leurs retrouvailles, du parti qu'avait pris le Mitannien, de sa mort. Le cœur de Thémis battait très fort.

– Comment a-t-il pu s'éloigner de nous ? Je l'aimais tant !

– J'ai approuvé ses choix, avoua Sheribu. Il était courageux. Il a renoncé à tous les dons que lui a faits le roi.

– Le fils de Séti et de Bêlis a donc quitté cette terre, murmura Thémis, bouleversée. Il a été abattu par le bras de Pharaon !

– Pharaon a appris que je le voyais en secret. C'est la raison pour laquelle il m'a tenue à l'écart. Il n'avait plus confiance en moi.

– Était-ce à juste titre ?

Sheribu qui ne baissait jamais le regard rougit devant sa mère.

– Tu étais prête, toi aussi, à trahir Thoutmosis ?

– Je l'avoue. Mais ne suis-je pas mitannienne avant tout ? J'ai été élevée en Asie. J'ai grandi dans d'autres contrées.

– Ne dis pas cela, malheureuse. Ton père était égyptien.

– Mais tu es toi-même mitannienne !

– En effet. Quelle malédiction frappe donc notre famille pour que l'histoire se renouvelle sans cesse ?

– De quoi parles-tu ?

– Qu'importe ! Le roi t'a ramenée ici comme une prisonnière !

– Mais je suis de nouveau sa favorite !

– Pas tout à fait. Il a décidé de donner à Sobek et à Kertari le titre d'épouses. T'en a-t-il seulement parlé ?

– Ce ne seront que des épouses secondaires... Moi aussi j'aurai bientôt ce titre. Le roi me donnera même un domaine. Il me l'a promis. Je n'étais guère tentée par un tel don. Mais la situation a évolué.

– Je ne comprends pas.

– N'oublie pas que j'attends un enfant de Pharaon. Rassure-toi, mère. Je me suis habituée à cette idée. Je crois que cet événement arrive à point pour nous sauver. Pharaon est heureux. Aussi pardonne-t-il plus facilement.

– Cette sorcière que tu consultais n'était donc qu'une misérable arnaqueuse !

– Son action était dirigée contre le roi, uniquement contre Thoutmosis...

– Que veux-tu dire, Sheribu ? Aurais-tu connu d'autres amants ?

– La vie réserve parfois des surprises.

– J'espère que tu n'as pas commis cette folie !

– Tous les Égyptiens apprendront la naissance d'un enfant du roi. Seule compte cette nouvelle. Le reste...

Comme Thémis cherchait à en savoir plus, Sheribu lui fit comprendre qu'elle n'ajouterait rien.

– Toi aussi tu as gardé pour toi des secrets pendant des années...

– Je n'en ai jamais eu pour mes enfants !

– Mère, les déesses vont te punir. Amenpafer et Ishtariou m'ont parlé. Ils avaient eux-mêmes réussi à avoir des informations. Amenpafer a rencontré un vieil ami mitannien qui s'était réfugié avec sa famille dans les montagnes du Sinaï. Il lui a appris qu'il était le fils du roi mitannien et non l'enfant de Kay. Amenpafer est mon demi-frère, non mon frère comme tu nous l'a laissé croire pendant toutes ces années !

Thémis pâlit.

– Qui a pu vous informer ?

– Ainsi donc tu ne nies pas.

Thémis soupira.

– Pourquoi Amenpafer ne m'en a-t-il pas parlé ?

– Sans doute attendait-il que tu lui dises la vérité.

– J'aurais préféré qu'il ne la connût pas. Quelle importance ? Tu l'as toujours considéré comme ton frère. Il a
été élevé avec toi.

– Et je l'aime toujours comme mon frère.

– J'avais honte d'avoir partagé la couche de ce roi
mitannien haï qui a condamné ton père à mort.

– Ne suis-je pas obligée moi aussi de répondre au bon
vouloir du roi égyptien alors que j'aimais un autre
homme ?

– Que dis-tu là ? De quel homme parles-tu ?

– Mère, tu en sais suffisamment. Tu as caché à
Amenpafer ses véritables origines. Tu ne nous as jamais
expliqué pourquoi tu avais quitté l'Égypte sous le règne
de Thoutmosis Ier. Amenpafer a rencontré un paysan qui
lui a tout raconté.

– Je le sais, répondit Thémis. Et ton frère t'a tout rapporté.

– Oui. Tu restes une Mitannienne. Tu appartenais
à une riche famille. Pourquoi aurais-tu cédé aux rois
égyptiens ? Comme moi, tu es entrée dans un harem
pharaonique. Tu as été bien traitée mais tu as gardé bien
des souvenirs. Kay avait des projets qui te convenaient.
Tu as vu l'occasion de te venger des Égyptiens et de
retourner dans ton pays...

– Ne parle pas ainsi. Pharaon n'est au courant de
rien...

– Le crois-tu vraiment ? Rien n'échappe à Thoutmosis !

– Il ne connaît qu'une partie de l'histoire. Je suis
convaincue que nous perdrions tout si quelqu'un lui
racontait les moindres détails de cette affaire.

– Et le paysan ?

– Il se taira. J'ai sa parole.

Sheribu observa sa mère.

– Que lui as-tu promis en échange ?

– Peu de chose, par Isis. En réalité, il a tout intérêt à ne pas ressortir cette affaire qui lui causerait du tort.

– Surveille-le bien !

Comme les deux femmes se taisaient, les cris des fils du roi envahirent le parc.

– Je dois parler à Amenpafer. M'en veut-il de lui avoir menti ?

– Non. Je crois que cette nouvelle l'a troublé. N'est-ce pas normal ? Mitannien, fils de Mitannien, il devait combattre contre son pays aux côtés de Pharaon !

– Et pourtant, il n'a pas trahi le roi. Il n'a pas suivi Ishtariou.

– Hélas ! Qui nous dit que Pharaon serait vainqueur aujourd'hui si Amenpafer avait pris la tête des troupes égyptiennes contre lui !

– Ton frère est sage. Jamais les soldats n'auraient trahi leur roi. Thoutmosis a fait leur fortune et leur gloire ! S'il avait agi autrement, vous seriez morts comme Ishtariou ! Qu'Osiris l'accueille dans l'Au-Delà comme un homme juste de voix !

– Ishtariou ne se présentera pas devant Osiris mais devant les dieux d'Asie. Nul doute qu'il vivra dans un pays de rêve comme il le mérite !

– Tu me parais bien révoltée contre le roi ! Est-il bon d'envisager de donner un fils à Pharaon dans ce contexte ?

– Que pourrais-je faire d'autre ? Certains enfants meurent jeunes dans ce pays.

– Aucune mère n'envisage cette éventualité sans trembler de tous ses membres.

– Je serais si triste de perdre cet enfant. Mais je prierai les dieux pour qu'ils le rendent fort ! Je suis sûre qu'il aura un destin exceptionnel !

– Tu ne m'en diras pas davantage au sujet de cet enfant ?

– Non. Le harem va s'agrandir. De nouvelles femmes sont arrivées d'Asie. Pharaon va séjourner pendant plusieurs mois à Thèbes et faire de nombreux enfants. Le mien sera élevé dans cet univers mais il sera l'héritier de bien d'autres valeurs.

– Tu ne me confieras rien sur l'homme qui fait battre ton cœur.

– Allons, rentrons ! Je suis un peu lasse et je ne veux pas paraître fatiguée. Retourne chez toi et ne te tourmente pas. Tout est rentré dans l'ordre ! Sheribu demeure la préférée de Pharaon !

XXX

Thoutmosis dut partir quelques mois plus tard pour réprimer une nouvelle tentative de rébellion du roi du Mitanni dans le pays du Retenou. Des tribus bédouines se mobilisèrent, elles aussi, contre les Égyptiens mais le roi n'eut aucun mal à imposer son autorité.

Il put passer la saison qui suivit en compagnie de sa famille qui s'était agrandie, multipliant les activités avec Aménophis. Celui-ci l'accompagnait à la chasse, en promenade sur le Nil, dans les banquets. Thoutmosis lui demandait parfois son avis. Il lui faisait également partager son goût pour la botanique.

Thoutmosis appréciait particulièrement les après-midi passés à l'ombre des sycomores avec Méryrêt. Tous deux écoutaient des poètes et des chanteurs leur souhaiter un bonheur complet tandis que des servantes leur enduisaient la peau d'encens, de myrrhe et d'huile parfumée à la rose. Le roi portait des couronnes de fleurs qu'il avait cueillies lui-même.

Alors qu'il écoutait les stances d'un poète qui avait composé spécialement pour lui un texte à la gloire de l'amour et de ses exploits guerriers, une servante s'avança. Elle s'inclina et resta longtemps ainsi tandis que les flûtes et les harpes accompagnaient les paroles douces du poète.

– Que penses-tu de ces chants ? lui demanda Thout-mosis. Ne sont-ils pas le reflet de la sérénité qui règne dans notre beau pays ?

Très étonnée que le roi s'intéressât à ses réactions, la très jeune fille remua la tête de haut en bas sans oser lever les yeux vers son souverain.

– Tu ne dis rien ? Aurais-tu peur de moi ?

Les lèvres de la jeune Égyptienne se mirent à trembler. Elle était si émue qu'elle manqua s'évanouir.

– Pardonne ma stupide timidité, dit-elle. Je ne me suis jamais trouvée en présence de Pharaon.

– Tu me plais. J'apprécie ta réserve et ta jeunesse. Sers-tu Pharaon depuis longtemps ?

– Oui, Grand Horus. En réalité je suis au service des femmes du harem depuis deux ans.

Le roi la détailla attentivement, la mettant de nouveau mal à l'aise.

– Pourquoi es-tu si habillée ? Les servantes vaquent nues dans ce palais. Tu portes une tunique longue et serrée qui te sied à merveille mais qui cache ton corps.

– Je me dévêtirai si Pharaon le veut, répondit la jeune fille en rougissant.

– Eh bien, je le veux !

Comme l'Égyptienne hésitait, le roi lui ordonna de ne pas le faire attendre.

– Allons ! Que les femmes présentes dans cette pièce t'aident à ôter ta tunique. Garde seulement tes fins bijoux.

La jeune fille se tint droite et laissa les femmes s'activer autour d'elle. L'une enleva la fibule qui retenait sa tunique sur le haut de l'épaule ; une autre défit sa ceinture tressée de fleurs ; une autre encore dénuda ses épaules puis sa poitrine. La robe tomba finalement aux pieds de l'adolescente. Les servantes la ramassèrent et se retirèrent rapidement.

– Tu es belle, dit le roi. Au lieu de servir les femmes du harem, il me plairait que tu l'intégres.

L'Égyptienne se mit à genoux en suppliant le roi.

– Jamais les femmes ne l'accepteront ! Comment une simple servante pourrait-elle connaître le luxe ?

– Ne vis-tu pas au palais ? Ne discute pas les ordres de Pharaon. Je vais donner des instructions. Tu auras, dès ce soir, une chambre dans le harem. Il est possible que je m'y rende après le banquet. Je te conseille donc de ne pas perdre de temps et d'écouter les conseils de la responsable. Le chef du harem te dira aussi quels sont tes droits.

La jeune femme allait se retirer quand le roi la rappela.

– N'aurais-tu rien oublié ? lui demanda-t-il en riant.

– Je crois que tu as troublé cette adolescente, lui dit Méryrêt. Je m'amuse aujourd'hui de tes fantaisies que je n'aurais guère appréciées autrefois.

– Mais tu es devenue une très Grande Épouse royale, lui répondit Thoutmosis en baisant sa main.

– N'étais-tu pas venue m'apprendre une nouvelle ? Que voulais-tu ? Pourquoi es-tu arrivée ici tout essoufflée ?

– En effet, Seigneur, répondit la jeune femme en se remettant à genoux pour parler au roi. Je voulais dire à Horus d'or que Sheribu venait de mettre son enfant au monde sous le regard bienveillant d'Hathor et de Thouéris.

– Comment t'appelles-tu ?

– Bouhénis.

263

– Serais-tu de la région de Bouhen ?

– Oui, Seigneur. Là où tu as fait élever un temple magnifique.

– Eh bien, Bouhénis. Cette nouvelle me comble de joie ! S'agit-il d'une fille ou d'un fils ?

– D'un fils, Seigneur. Il est magnifique. Sa tête est déjà recouverte de cheveux fins. Ses yeux immenses regardent vers le ciel. Il a crié très fort en venant au monde et en voyant la lumière de Rê.

Aménophis rejoignit ses parents au moment où la servante faisait cette annonce au roi. En grandissant, il avait appris à accepter les autres fils de Pharaon, ne les considérant plus comme des rivaux.

– Mon père a encore fait des heureux ! dit-il. Je reviens de l'entraînement. Je crois être fin prêt pour la prochaine campagne.

– Tu viendras avec moi en Asie. J'ai besoin de toi. Je veux maintenant gouverner et combattre avec toi. Que fait ton frère ?

– Il est avec sa nourrice. Horus d'or, Djéhouty m'a parlé des tombes que tu as ordonné de creuser dans la Vaste Prairie pour mon frère et moi. N'est-ce pas trop tôt ?

– Comment un enfant de Pharaon peut-il raisonner ainsi ? Il n'est jamais trop tôt pour songer à sa vie future. Même si je prie tous les jours Amon de vous garder en bonne santé, vous pouvez demain rejoindre l'autre monde. Je veux que votre chambre funéraire soit prête.

Aménophis manifesta le désir de visiter sa tombe et celle de son frère.

– C'est impossible, mon fils, lui dit le roi. Le travail vient à peine de commencer. Je n'ai pas encore choisi le chef de chantier qui poursuivra les travaux. Djéhouty est trop vieux pour continuer. Il doit auparavant terminer la tombe de Thoutmosis Ier et celle de Méryrêt-Hatchepsout II.

– Ne me fais pas languir, grand pharaon, dis-moi au moins où se trouvent ces tombes. Sont-elles près de la tienne ?

– Tu connais maintenant le sanctuaire d'Hatchepsout.

– Bien sûr ! Lorsqu'on monte vers la colline de la déesse serpent qui veille sur les morts, on emprunte un petit chemin sur la gauche. On grimpe légèrement jusqu'à la falaise. L'entrée de la tombe se trouve à l'intérieur de cette falaise. De l'extérieur, on ne la voit pas. Qui penserait qu'un sanctuaire a été creusé à cet endroit ?

– L'entrée se confond avec les failles de la falaise, tu as raison.

– Pourquoi évoques-tu la tombe d'Hatchepsout ?

– Parce que le chemin qui permet d'y accéder présente une fourche. Une piste va à gauche vers la tombe de la reine-pharaon. Une autre piste mènera bientôt à d'autres sanctuaires. Mais pour y parvenir, il faudra monter encore et pénétrer entre les fentes de la muraille rocheuse. Un escalier permettra de descendre dans le premier couloir puis dans le vestibule. Un autre escalier conduira à la chambre funéraire et au sarcophage.

– Tu as pensé à tout, Grand Horus. Même aux pilleurs de tombes ! Personne ne trouvera des tombeaux à cet endroit. Pourquoi ne me parles-tu pas de ma propre tombe ?

Thoutmosis III éclata de rire.

– Laisse Pharaon tranquille, intervint Méryrêt. Tu sauras bien assez tôt ce que le roi te réserve !

– Sa curiosité est légitime. Sache que ta tombe sera creusée sur le chemin qui mène à mon propre sanctuaire. J'ai décidé de l'emplacement avec Djéhouty. Il permettra de réaliser un tombeau gigantesque, aux couloirs larges et accueillants. Les divinités seront représentées sur les murs. Au plafond figureront des vautours et Anubis.

Aménophis n'osa demander à son père pourquoi il avait choisi des plans si différents pour sa propre tombe et la sienne. C'était la première fois qu'il entendait parler d'une entrée large et d'un couloir « accueillant ».

– Ton sarcophage sera lourd et imposant, expliqua Thoutmosis. Les porteurs pourront ainsi le placer dans ta chambre funéraire sans le briser.

Le roi se leva. Il voulait voir l'enfant de Sheribu.

– Tu t'inquiètes donc pour cette fille ? demanda Méryrêt.

– Non. Mais j'aime savoir ce qui se passe dans ce palais.

XXXI

Thémis et Bès avaient depuis longtemps rejoint l'Au-Delà en emportant avec eux leurs secrets quand une révolte se déclencha au Mitanni en l'an 42 du règne. Le roi mitannien s'était une nouvelle fois uni au prince de Kadesh.

Rassemblant son armée, Thoutmosis gagna la mer et se dirigea en hâte vers les ports hostiles dont il s'empara. Puis il prit des positions stratégiques, coupant ainsi toute liaison entre Kadesh et d'autres villes asiatiques. Un premier affrontement eut lieu dans une cité favorable au prince de Kadesh. Thoutmosis n'hésita pas à assaillir la ville.

La victoire acquise, le pharaon prit rapidement la route de Kadesh. Dès que le roi égyptien approcha, les soldats asiatiques se précipitèrent à l'extérieur de leur ville pour éviter un siège. Cette tactique désarçonna Thoutmosis qui vit arriver dans ses rangs une cavalerie hardie et acharnée. Les archers se désolidarisèrent. Les chars se brisèrent en partant dans tous les sens. Des chevaux emballés, sans cavalier, venaient ajouter à la panique.

Sautant à bas de son char, Amenmen courut alors vers ceux du roi et d'Aménophis.

– Vite ! L'ennemi va s'appuyer sur l'effet de surprise !

Il va charger dans le chaos. Nous devons nous ressaisir ! Nos soldats ne savent plus où frapper. Les rangs sont rompus !

— Que vas-tu faire ? lui cria le roi.

— Je vais arrêter avec quelques hommes ces chevaux fous qui traversent nos lignes en semant la terreur. Nous devons les tuer.

Comme Aménophis proposait de l'aider, Amenmen lui conseilla de s'emparer d'une lance et de descendre de son char.

— Tu ne pourras pas le diriger ! Suis-moi !

Sous la conduite maîtrisée d'Amenmen que rien n'effrayait, les Égyptiens eurent tôt fait de tuer les chevaux responsables d'un tel désordre.

— Tu as réussi ! lui dit Thoutmosis en le serrant contre lui. Que ferais-je sans ton courage et ton intelligence ?

Ému par cette marque d'affection manifestée devant l'armée réunie, Amenmen demanda à Aménophis de l'aider à rétablir la discipline. En quelques instants, les soldats égyptiens repoussèrent l'ennemi qui préféra se réfugier derrière les remparts de la ville.

Habitué aux sièges dans lesquels il excellait, Thoutmosis refusa de tenter un assaut.

— Inutile de risquer la vie de mes hommes alors que nous sommes sûrs de l'emporter. Cette muraille n'est guère épaisse ! Elle ne résistera pas à Pharaon. Allons, Amenmen ! Tu as bien gagné d'y entrer le premier ! Fais-la abattre !

La victoire fut facile. Comme à l'accoutumée, le roi rapporta à Thèbes un bon butin. Il laissa des garnisons en Asie et promit aux paysans mobilisés qu'il n'y retournerait pas avant longtemps.

– J'ai beaucoup combattu ici, dit-il, un peu las, à Amenmen. Pendant vingt ans, j'ai montré ma supériorité. Aménophis sera capable, désormais, de mettre fin aux révoltes qui naissent ici et là et qui, tels des feux tout juste allumés, s'éteignent facilement.

Pour la première fois de sa carrière, Thoutmosis se sentait fatigué. En cette année 42 du règne, il fêtait ses cinquante ans et comprenait que ses fils étaient prêts à prendre la relève.

Conscient qu'il laisserait à l'héritier un empire immense, Thoutmosis voulait aussi s'assurer de l'obéissance des peuples du Sud.

Amenmen lui demanda dès son retour à Thèbes s'il comptait repartir tout de suite pour les cataractes.

– Non. J'ai besoin de me reposer car les dieux ont beau m'aider, la vieillesse envahit mes membres. Je voudrais emmener dans le Sud plusieurs de mes fils, même ceux qui aujourd'hui sont encore enfants. Quand je partirai, ce seront de robustes adolescents.

– Veux-tu dire que tu attendras des mois avant de repartir ?

– Oui. L'armée égyptienne s'est bien battue pendant une vingtaine d'années. Elle a droit, elle aussi, au repos. Quant aux paysans, ils vont maintenant récolter et je dois songer au bien-être de leur famille. Je vais me rendre au-delà de la quatrième cataracte, là où mon grand-père est déjà allé.

– Dois-je comprendre que tu iras jusqu'au Mont purifié ?

– Oui. Je veux au moins imposer le pouvoir égyptien jusqu'au Gebel Barkal et, comme nous l'avons fait,

Thoutmosis Ier et moi-même, aux abords du Mitanni, je ferai écrire un texte par Tianou pour qu'il soit gravé dans la pierre. Il relatera mes réussites. Ainsi, personne ne pourra ignorer que ma puissance s'étale du Mitanni au nord et au sud de l'Égypte, dans les endroits les plus reculés, là où toute civilisation disparaît et où les sorciers dirigent les peuples.

– J'avoue, moi aussi, que les ans pèsent sur mon corps. Je ne te l'aurais jamais avoué si tu n'avais pas décidé de prendre un peu de repos.

– Mon ami, nous avons beaucoup travaillé pour notre pays. Je possède le plus grand empire qui soit. Je suis comblé. Mais tu sais combien mes fils et mes filles Néfertari, Merytamon et Beket me sont chers. J'aime passer du bon temps avec Méryrêt.

– J'ai été flatté de l'élan dont Pharaon a fait preuve à mon égard en plein champ de bataille, lui avoua Amenmen.

– Tu es mon ami. Tu m'as sauvé la vie. Nous avons traversé ensemble tant d'épreuves mais nous avons aussi connu tant de joie !

Amenmen, le robuste et intraitable guerrier, le vétéran que rien n'impressionnait, ne put retenir ses larmes.

– Je t'aime et te vénère pour l'Éternité, Horus d'or. Tu mérites d'être le plus grand pharaon qui soit !

Thoutmosis ne travailla bientôt plus que dans la perspective de laisser en Nubie une trace indélébile de son passage. Il se rendit plusieurs fois à Bouhen où résidait le vice-roi. Il était satisfait d'avoir fait agrandir le temple d'Hatchepsout et marteler toute trace de sa tante.

Pour mieux y honorer le dieu Horus, Thoutmosis encouragea le vice-roi à organiser des fêtes dans une salle aménagée à cet effet. Non loin de cet espace immense, Thoutmosis prit plaisir à relire sur un pilier le texte que le vice-roi lui avait consacré au lendemain de ses premières victoires.

– Tous ceux qui viennent ici et qui lisent ce texte craignent ensuite de s'attaquer à Pharaon, lui expliqua le vice-roi. Sans mentir, je les vois trembler. Ces hiéroglyphes les impressionnent !

– Tu as eu une excellente idée. Ces phrases datent de vingt-quatre ans et elles me semblent toujours appropriées. Elles rappellent qu'Horus est un dieu père pour moi, que j'ai combattu les peuples du Retenou avec succès, que j'ai emmené à Thèbes de nombreux prisonniers et que tous les vaincus payent un tribut élevé à Pharaon.

Pour le remercier d'avoir construit un temple en l'honneur du dieu Dedoun, la première des divinités nubiennes, les Africains disaient volontiers Thoutmosis fils de Dedoun. Quand des prêtres égyptiens lui faisaient remarquer qu'il ne pouvait être à la fois fils d'Amon, fils de Ptah, enfant de Dedoun et progéniture d'Horus, Thoutmosis leur rappelait qu'il était roi et que tout était possible. Il insistait une nouvelle fois sur les rites africains parfois si proches des cérémonies égyptiennes et sur la similitude des dieux nubiens avec les divinités égyptiennes.

Thoutmosis visita avec beaucoup de curiosité le sanctuaire de Dedoun datant de l'époque de Sésostris III qu'il avait également fait agrandir. Passant d'une berge du Nil à l'autre, le pharaon alla fouler le sol de granit rose d'un autre sanctuaire dont il ordonna de supprimer les briques pour les remplacer par du grès. Respectueux de ses ancêtres, Thoutmosis donna des ordres stricts pour que les colonnes soient nettoyées et que les représentations de Sésostris et de Dedoun soient conservées.

— Je viendrai seulement les rejoindre, dit-il au sculpteur chargé d'achever de nouveaux bas-reliefs. Ma place est ici. Dessine-moi assis près de mon ancêtre et du dieu nubien.

Quand il revint à Thèbes, Thoutmosis consulta Rekhmirê. Le vizir lui apprit qu'Aménophis était reparti à Memphis où il allait parfaire son éducation.

— As-tu terminé ton travail ? lui demanda le roi

— Oui. Je me suis occupé de la répartition de nouvelles terres.

— Sans difficulté ?

— Hélas non ! Les paysans sont intraitables sur la question. Certains refusent de contribuer aux travaux d'irrigation. Des nomarques et des gouverneurs discutent la date à laquelle j'ai fixé le commencement des labours. Certains paysans refusent que je fasse abattre des arbres qui menacent de s'écrouler et dont les branches sont plus sèches que l'air.

— As-tu trouvé le temps de vérifier les jarres ?

— Oui. La boisson et la nourriture du palais sont suffisantes.

Thoutmosis le complimenta sur la garde qu'il avait choisie pour l'accompagner en Nubie.

— Tu as magnifiquement préparé ce voyage. Où en

sont les travaux de Karnak et ceux de mon temple de millions d'années ?

Rekhmirê le rassura sur l'avancée de ces deux chantiers.

— Menkheperrêsen est précisément parti visiter les artisans qui nous seront utiles. Il doit se trouver chez le menuisier. Il contrôle les moindres travaux. Un jour nous allons chez le joaillier, le lendemain chez le tanneur.

— Il ne faut rien négliger.

— Les mineurs viennent d'arriver du Sinaï. Les policiers les ont escortés jusqu'à Thèbes car leur chargement était important. Menkheperrêsen m'a aidé à enregistrer les pierres précieuses avec ses scribes.

— Et l'or que nous attendions ?

— Nous l'avons reçu.

— Tu vas pouvoir profiter de ta femme, lui dit le roi. Prends un peu de repos. Depuis que ma mère a rejoint l'Au-Delà, ton épouse se dit soulagée. Aurait-elle eu à redouter la rivalité d'une femme plus âgée ?

Comme Rekhmirê rougissait, le roi insista.

— Tu peux maintenant me parler librement.

— Je préfère ne songer qu'aux excellents moments que je passe en compagnie de mon fils et de Mérit.

— Sache que je voudrais accélérer la construction du temple de Rê en Nubie. L'entrée est faite. les piliers sont achevés mais les peintures des salles du sanctuaire ne me plaisent guère. Fais envoyer là-bas de meilleurs artistes pour me représenter avec Dedoun et Rê-Horakhty.

Rekhmirê le lui promit et prit congé du roi le cœur en joie. Il allait enfin pouvoir passer un après-midi à pêcher

sur une barque, loin de l'agitation du palais et des marchés. Sa femme l'accompagnerait certainement.

– Les dieux m'ont permis d'avoir une femme compa-
tissante, dit-il en regagnant son domaine. N'importe
quelle Égyptienne aurait été furieuse des avances de la
Grande Mère de Thoutmosis. Qu'elle repose auprès de
Rê et que son *ka* chemine agréablement.

Rekhmirê eut également une pensée pour Thémis.

– Elle était si belle lorsqu'elle est partie ! Elle a rejoint
Osiris dans son sommeil. À l'aube, elle était étendue sur
sa couche, les mains croisées sur sa poitrine. Ses lèvres
souriaient aux plaisirs nouveaux qu'elle s'apprêtait à
découvrir. Que les dieux nous emportent tous dans un
bonheur identique !

XXXII

Les paysans profitaient de la saison de la germination pour aider leurs femmes aux travaux de la maison. Le soleil ne frappait pas encore l'Égypte de ses rayons violents mais il commençait à s'imposer. Jusqu'au nouvel an, il ne cesserait de chauffer la terre.

– Aménophis ! Un représentant du roi vient de débarquer !

Un prêtre courait vers lui alors que le prince égyptien achevait sa prière au dieu Ptah.

– Que racontes-tu ? De qui s'agit-il ?

– J'ai cru comprendre qu'il s'agissait du grand Rekhmirê ! Te rends-tu compte, prince d'Égypte ? Le vizir de Thèbes vient nous rendre visite ! Nous n'avons pas été prévenus...

Aménophis se rendit d'un bon pas au débarcadère.

– Je pensais rencontrer Rekhmirê ! dit-il au messager. Sans doute t'envoie-t-il jusqu'à moi ! Quelle joie de te voir !

– En effet, répondit l'Égyptien en se prosternant devant Aménophis.

Des paysans laissèrent leurs outils pour venir voir cet homme exceptionnel qui servait l'un des Égyptiens les plus puissants du pays et qu'ils considéraient presque comme un dieu.

Le messager regarda autour de lui. Les maisons s'étaient multipliées depuis son dernier voyage à Memphis. Les habitants avaient aménagé des canaux d'irrigation et nettoyé leur domaine. Des roseaux et des hautes herbes qui longeaient le Nil s'envolèrent une nuée d'oiseaux.

— Le sanctuaire de Ptah a été restauré. C'est bien, dit-il, en baissant les yeux.

Aménophis était heureux de voir l'un des fonctionnaires préférés de son père. Lui aussi appréciait ses qualités. Il allait sans doute lui apporter des nouvelles fraîches de Thèbes. Mais il aperçut, tout d'un coup, des étoffes flotter au mât de la barque royale.

— Assieds-toi, dit-il au héraut. Tu es fatigué. Désaltère-toi. On va t'apporter du vin frais. Que signifient ces signes de deuil sur le navire du grand Thoutmosis ? Mon frère serait-il en mauvaise santé ? Ma mère... Comment se porte Méryrêt-Hatchepsout II ? Et comment va Rekhmirê ?

— Aménophis, Roi d'Égypte, Horus d'or, Thoutmosis Menkheperrê, ton père a rejoint le Soleil. Il se confond maintenant avec l'astre lumineux.

Le nouveau roi leva ses yeux emplis de larmes vers le ciel pur.

— J'avais rêvé cette disparition, dit-il. Mais j'avais tant prié les dieux que ce songe ne se réalisât pas ! Je l'aimais tant !

— Maître, tout est paisible. Regarde cette mer céleste.

— Je sais que Pharaon est heureux et juste de voix ! Qu'il vive éternellement ! ajouta Aménophis en se retenant de sangloter.

Son menton tremblait. Ses mâchoires se crispaient

sous la douleur. Son cœur se serrait dans sa poitrine au point de lui arracher des cris de révolte.

— Depuis deux ans il m'avait associé au pouvoir, dit-il en croisant nerveusement les mains. Je ne dois pas me montrer faible en ce jour. Et pourtant, je ne verrai plus son visage ; je ne sentirai plus son parfum. Je garderai en moi le souvenir de jours heureux que je retrouverai un jour dans le domaine de la perfection.

Le messager proposa de se retirer.

— Non, attends ! lui dit Aménophis qui était devenu très pâle. Dis-moi où se trouve Rekhmirê. Pourquoi n'est-il pas venu en personne m'annoncer cette nouvelle capitale pour le destin de l'Égypte ?

— De nombreuses obligations l'ont retenu au lendemain du passage de Thoutmosis le grand dans l'Au-Delà. Mais il a embarqué juste après moi. Il devrait actuellement redescendre le fleuve.

— Je pars avec toi ! Allons tout de suite à sa rencontre !

Aménophis fit préparer une importante escorte puis il embarqua aussitôt sur le navire de son père. Après une courte étape, ils arrivèrent à hauteur d'un petit village situé au nord d'Abydos.

— Voilà les bateaux du vizir ! dit Aménophis dont les traits las accusaient une longue nuit de veille. Arrêtons-nous ici.

Le visage triste et respectueux, Rekhmirê rejoignit Aménophis et tomba à ses pieds.

— Pharaon, mon ami, n'est plus sur cette terre. Tu es le grand Seigneur des deux Égyptes. L'Asie et la Nubie t'appartiennent ! Ton père tout-puissant te donne son immense empire !

Aménophis prit le bouquet de fleurs que lui tendait le vizir.

Puis il demanda à Rekhmirê de se relever.

– J'ai envie de te serrer contre moi comme l'aurait fait mon père pour te remercier de ta fidélité.

– Ces fleurs symbolisent la continuité de la dynastie dans son renouvellement, répondit le vizir en baisant dignement la main du nouveau roi. Laisse-moi citer tes titres.

– Je les accepte et m'en montrerai digne, répondit Aménophis.

– Ne tardons pas. Les Thébains t'attendent pour t'acclamer !

Ils arrivèrent le lendemain à Thèbes. Le grand prêtre de Karnak avait ordonné de sortir la statue du dieu Amon qui avait été placée au centre de la ville. Aménophis lui rendit hommage puis il suivit à la lettre toutes les recommandations de Rekhmirê.

Dès qu'il entra au palais, il s'installa sur le trône de son père et reçut les courtisans.

– Ne pourrais-je voir mon père ? demanda-t-il avec inquiétude. Tout ce rituel m'importe peu.

– Méryrêt et tes frères et sœurs ont assisté à ton arrivée. Tu es le roi d'Égypte. Accomplis tes devoirs comme te l'a appris ton père. Je suis ton serviteur après avoir été le sien. Je dois te montrer comment procéder. Fais-moi confiance.

Rekhmirê conduisit Aménophis vers ses appartements où il lui fit apporter une tenue digne de sa nouvelle fonction. Lui-même revêtit une longue robe et passa un large collier en or autour de son cou.

– Nous sommes prêts, dit-il. Retourne dans la salle d'audience.

Aménophis s'exécuta. Rekhmirê le laissa s'installer puis il fit signe aux serviteurs portant les offrandes de nourriture de le suivre. Ceux qui étaient chargés des ornements et des fleurs les rejoignirent.

– Pharaon, voilà les offrandes de ton serviteur. Pendant quelques jours, les prêtres, les gouverneurs, les nomarques et tout le peuple d'Égypte fêteront leur nouveau roi ! Tu seras honoré à Louxor, à Karnak, à Abydos, à Assouan.

Soixante-dix jours plus tard, délai nécessaire à la momification du corps de Pharaon, Thoutmosis quitta pour la dernière fois le palais. Il était accompagné de son épouse, de ses enfants, des femmes du harem, de ses fonctionnaires et de tout son peuple. Aménophis avait loué de nombreuses pleureuses qui se frappaient la poitrine et arrachaient leur vêtement en signe de douleur.

Le nouveau roi encensa le corps de son père. Puis il ordonna aux porteurs de l'installer dans la barque funéraire pour la traversée du Nil. Les Thébains, admiratifs du Pharaon en titre, poussèrent de nombreux cris en faveur d'Aménophis. Leurs clameurs en l'honneur du fils se mêlaient à celles adressées au père.

Comme Amenmen dirigeait les soldats vers les embarcations, Aménophis conclut l'encensement en s'adressant aux fidèles amis de son père.

– Tous ceux qui t'ont servi et que tu aimais se trouvent près de toi pour ce voyage vers la Grande Prairie. Je les garderai tous auprès de moi s'ils le désirent, même s'ils sont maintenant d'un grand âge. Amenmen m'a vu enfant. Il restera le général compétent qu'il a toujours été ! Rekhmirê continuera sa tâche de vizir et Menkheperrêsen régnera à Karnak !

Amenmen s'avança alors vers lui et tomba à ses pieds.

– Je suis bouleversé par tes propos et par la disparition de mon ami, le plus grand pharaon de tous les temps ! Que cette longue chaîne de cadeaux et d'offrandes puisse lui être agréable dans l'Au-Delà ! Je n'ai jamais vu d'aussi belles pièces et j'espère avoir contribué moi-même le mieux possible à faire de cet enterrement le plus magnifique qui soit. Tant de trésors, preuves de sa puissance et de ses conquêtes, entoureront le sarcophage du roi. Mais je veux faire davantage en souvenir de mon ami.

– Tu lui as sauvé la vie ! Que pouvais-tu faire de plus ?

– Je ne faisais qu'accomplir mon métier. Son cocher Pathmès qui a rejoint Osiris l'an dernier, l'a aidé, lui aussi, à triompher et à échapper aux traits ennemis. Il n'était pourtant pas son ami comme je le suis. Je veux donc que la postérité sache combien j'aimais Thoutmosis III et la Grande Épouse Méryrêt ici présente. J'ai fait creuser ma tombe dans la Vallée réservée aux fonctionnaires. Dans ma tombe figurera le roi en Osiris. Tu y seras aussi. Thoutmosis s'adressera à toi. Ma famille au complet vous offrira des corbeilles de fruits pour que Pharaon renaisse éternellement dans l'autre vie. Ma femme ajoutera des fleurs, symboles de naissance et de jeunesse, auxquelles Thoutmosis était si sensible. J'ai fait fabriquer pour Horus d'or les plus belles pièces de poteries et les ai apportées avec moi.

Mon serviteur peut-il les ajouter à cette longue file de dons ?

– Bien entendu, par Amon ! Malgré ton âge, mon désir serait de te voir veiller sur la barque sacrée lors de la prochaine fête d'Opet.

– J'accomplirai cette dernière tâche. Je te le promets et j'accepterai de te conseiller car je t'ai vu grandir et mon cœur ressent pour toi une grande affection. Je doute de pouvoir t'accompagner un jour sur les champs de bataille. Ce ne serait guère prudent ! Je suis trop vieux ! En revanche, il me plairait de passer mes jours à pêcher ou à chasser dans les marais. Djéhouty n'a pas profité d'une agréable retraite mais il est parti en ayant eu la joie de contempler le temple de millions d'années de Thoutmosis, la tombe du roi illustrée du livre de l'*Amdouat* et celle de Thoutmosis Ier où repose maintenant le corps du divin pharaon. Si je prends ma retraite aujourd'hui, peut-être aurai-je le plaisir de goûter à ces joies simples de l'existence ?

– Tu l'as bien mérité, Amenmen !

Ne pouvant chasser de son souvenir le visage paisible et beau de son époux, Méryrêt le voyait encore étendu dans la paix du passage dans l'Au-Delà, les bras croisés sur la poitrine, les mains tenant les attributs du pouvoir. Bientôt, le masque funéraire en or et en turquoise recouvrirait ces traits chéris. Les filles du pharaon défunt gardées par leur nourrice pleuraient.

Tous les enfants de Thoutmosis III s'observaient dans la douleur. Aménophis régnait aujourd'hui. Mais qu'en serait-il demain ?

Brisée par la tristesse, Kertari suivit le cortège. Elle n'avait pas eu d'enfant après la mort de Rêthot mais elle s'était montrée une épouse secondaire exemplaire. Sobek avait réussi à faire accorder à son fils aîné une haute fonction au palais. Elles savaient toutes deux qu'elles seraient enterrées non loin de la première tombe d'Hatchepsout, à l'abri des curieux et des voleurs de trésors. Thoutmosis avait déjà accordé ce privilège à d'autres princesses.

Quant à Sheribu, qui avait reçu, elle aussi, le titre envié d'Épouse secondaire, elle observa Rekhmirê avec attention. « Lui aussi va prendre sa retraite. Alors, mon fils sera là pour le remplacer. Il est devenu le préféré d'Aménophis. Thoutmosis l'adorait. Et qui sait si un jour ce grand empire que voulait mon père ne sera pas aux mains de son petit-fils... »

Sheribu, qui avait gardé ses yeux vifs, son charme sensuel et sa beauté magique, regarda embarquer le mobilier, les coffres sertis de pierres précieuses remplis de bijoux et d'or, les figurines en or et en lapis-lazuli qui seraient placées près de Pharaon pour le servir dans l'Au-Delà, tous ces biens apportés par les tributaires de l'Égypte que l'on allait descendre dans le sanctuaire du grand pharaon.

Tianou notait chaque détail. Il avait repris les lignes que Thoutmosis III avait écrites lui-même sur sa vie. Le roi lui avait fait là un cadeau inestimable pour achever sa biographie.

Sheribu serra la main de son fils qui se tenait près d'elle avec beaucoup de majesté. Puis elle le regarda avec fierté.

– Thoutmosis était beau, si beau que les dieux devaient lui envier la perfection de ses traits. Thoutmosis était puissant. Il était habité par tous les dieux égyptiens et nubiens. Thoutmosis sera peut-être un jour égalé mais il faudra alors qu'un extraordinaire conquérant vienne au monde. Thoutmosis était de la race des généraux et des vainqueurs. Meryrêt a transmis à Aménophis le sang divin de la dynastie. Mais, toi, tu ressembles à ton père Ishtariou et Ishtariou, lui aussi, était beau et courageux.

Annexes

Les mystères de la Vallée

Si la tombe de Thoutmosis III (KV 34) située dans la Vallée des Rois est actuellement ouverte au public, celle que Thoutmosis III aurait fait creuser pour son grand-père Thoutmosis Iᵉʳ, père de la « pharaonne » Hatchepsout, est fermée.

Longue de plus de cinquante mètres, la tombe de Thoutmosis III a été officiellement découverte en février 1898, étant entendu qu'une famille de Gournah en connaissait l'existence avant cette date. Deux couloirs successifs permettent d'arriver à une salle à piliers où sont représentées des centaines de divinités. Un escalier conduit à la chambre funéraire en forme de cartouche, longue de quinze mètres. Sur les murs est réécrit le livre de l'*Amdouat*, texte pour le voyage dans l'Au-Delà. Isis, la mère divine de Thoutmosis III à laquelle sa mère « terrestre » (Iset) a emprunté le nom, figure à côté de son fils et l'allaite. Le sarcophage est en grès rouge.

La momie de Thoutmosis III, de petite taille, a été retrouvée. Aménophis II avait fait inscrire un texte en l'honneur de son père sur les bandelettes, rappelant que le Seigneur de Basse et Haute Égypte, fils de luminosité, avait réalisé tout cela pour son père.

Malgré les précautions prises par Thoutmosis III et ses architectes, la tombe du pharaon fut visitée par les pilleurs. On y retrouva des fragments de poteries, des os d'animaux, des morceaux de vases et des sculptures endommagées en bois, des momies sans rapport avec Thoutmosis III. À droite et à gauche de la salle funéraire se trouvent des chapelles annexes qui étaient fermées au moment de leur découverte. À l'intérieur furent retrouvées des traces de nourriture et d'offrandes ainsi que des pièces de mobilier funéraire. Hélas, tous les objets ne furent pas méthodiquement répertoriés.

La tombe de Thoutmosis Ier (KV 38) fut découverte un an plus tard. Il s'agit d'une petite tombe de plus de vingt mètres. Un couloir permet d'accéder à l'antichambre puis à la chambre funéraire en forme de cartouche. Les peintures murales, dégradées par les pluies, présentent des détails floraux.

Le sarcophage est en grès rouge comme celui de Thoutmosis III. Les coffres canopes, intacts, contenaient les restes du pharaon. On retrouva des morceaux de poteries, de vase en albâtre et des extraits du livre de l'*Amdouat* sur des pans de calcaire. Mais ces objets dataient-ils réellement de l'époque de Thoutmosis Ier ? Après une étude approfondie, il semble bien qu'ils aient été fabriqués ou déposés à l'époque de Thoutmosis III.

La forme de la chambre funéraire, le plan, le sarcophage en grès rouge, tout concourt à voir dans ces deux tombes, la KV 38 et la KV 34, l'œuvre d'un même pharaon. Mais où se trouverait alors la première tombe de

Thoutmosis Ier, celle qui fut construite par l'architecte Ineni ?

La momie de Thoutmosis Ier a soulevé, elle aussi, bien des questions en raison de l'âge présumé du défunt et de la disposition de ses mains.

L'hypothèse qui prévaut aujourd'hui serait qu'Hatchepsout aurait fait transférer le corps de son père Thoutmosis Ier dans sa seconde tombe, très longue, aménagée dans la Vallée des Rois. Thoutmosis III aurait ensuite fait déposer le corps de son grand-père dans la KV 38 qu'il aurait fait creuser.

La tombe d'Hatchepsout fut également pillée. On n'y retrouva que deux sarcophages et un coffre canope. Le couvercle du sarcophage de Thoutmosis Ier avait été déposé contre la paroi, peut-être par les serviteurs de Thoutmosis III chargés de transférer le corps, peut-être par les pilleurs de tombes. Le couvercle du sarcophage d'Hatchepsout n'était pas, lui non plus, à sa place. L'avait-il un jour été ? Il semble, en revanche, que l'on ait découvert des restes d'objets funéraires calcinés dans cette seconde tombe d'Hatchepsout, signe que la pharaonne aurait peut-être eu des funérailles décentes. Des traces du cercueil en bois de la pharaonne furent également trouvées dans la tombe de Ramsès XI (KV 4). C'est peut-être dans cette tombe qu'auraient été restaurés quelques objets retrouvés dans d'autres tombes de la XVIIIe dynastie.

Une autre tombe (KV 42) présente quelques ressemblances avec celles de Thoutmosis Ier et de Thoutmosis III : la tombe que l'on attribua hypothétiquement à Thoutmosis II, le demi-frère d'Hatchepsout et le père de Thoutmosis III, mais dans laquelle n'a été retrouvé aucun objet ayant appartenu à ce pharaon.

La momie de Thoutmosis II aurait été découverte dans la cachette dite de « Deir el-Bahari ». Mais là encore, l'âge du défunt ne paraît pas correspondre à celui que devait avoir le jeune Thoutmosis II lorsqu'il mourut.

Si la KV 42 n'est pas la tombe de Thoutmosis II, qui y fut donc enterré ? La tombe est actuellement en cours de fouilles. La forme de la cuve, rectangulaire, pourrait laisser supposer que cette tombe fut celle d'une princesse ou d'une reine, sans doute celle de Méryrêt-Hatchepsout II, la Grande Épouse royale de Thoutmosis III. Cette analyse est intéressante car les tombes des Grandes Épouses royales de la XVIIIe dynastie restent à découvrir. Si la forme des tombes de Thoutmosis Ier, d'Hatchepsout, de Thoutmosis III est courbe, la KV 42 est à angle droit comme celle d'Aménophis II, réouverte au public l'an dernier.

Faut-il en déduire qu'elle fut creusée juste avant ou en même temps que celle d'Aménophis II ?

Où se trouverait alors la tombe de Thoutmosis II ? La tombe d'Hatchepsout serait-elle donc la première à avoir été creusée dans la Vallée des Rois ?

Nous poursuivons les recherches. La Vallée des Rois est loin d'avoir livré tous ses secrets.

Violaine VANOYEKE
Louxor, juin 2000

Les principaux rois
de la XIIᵉ à la XVIIIᵉ dynastie

XIIᵉ dynastie (XXᵉ-XVIIIᵉ siècle avant J.-C.)

Amenemet Iᵉʳ
Sesostris Iᵉʳ
Amenemet II
Sesostris II
Sesostris III
Amenemet III
Amenemet IV
Nefrousobek

Pendant les XVᵉ et XVIᵉ dynasties s'imposent les envahisseurs Hyksos (XVIIIᵉ-XVIᵉ siècle avant J.-C.) qui gouvernent à Avaris. Des rois ou gouverneurs égyptiens dirigent l'Égypte du Sud à Thèbes.

XVIIᵉ dynastie (XVIᵉ siècle avant J.-C.)

Derniers rois de Thèbes
Tioua Iᵉʳ (Grande Épouse : Titihéri)
Tioua II (Grande Épouse royale : Ahhotep)
Kamose

XVIIIᵉ dynastie (XVIᵉ-XIIIᵉ siècle avant J.-C.)

Ahmosis (Grande Épouse royale : Ahmès-Néfertari)
Aménophis Iᵉʳ
Thoutmosis Iᵉʳ (Grande Épouse royale : Ahmose)
Thoutmosis II - Hatchepsout
Thoutmosis III (environ 1505-1450 avant J.-C.)
Aménophis II
Thoutmosis IV
Aménophis III
Aménophis IV (appelé Akhenaton)
Semenkarê
Toutânkhaton (appelé ensuite Toutânkhamon)
Aï
Horemheb

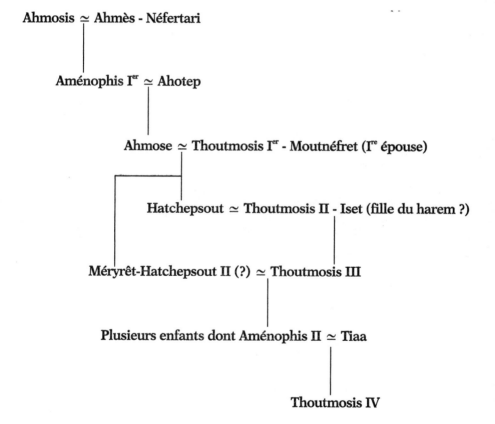

Ahmosis ≃ Ahmès - Néfertari

Aménophis Iᵉʳ ≃ Ahotep

Ahmose ≃ Thoutmosis Iᵉʳ - Moutnéfret (Iʳᵉ épouse)

Hatchepsout ≃ Thoutmosis II - Iset (fille du harem ?)

Méryrêt-Hatchepsout II (?) ≃ Thoutmosis III

Plusieurs enfants dont Aménophis II ≃ Tiaa

Thoutmosis IV

Arbre généalogique

LISTE
DES PRINCIPAUX
PERSONNAGES

Ahmès-Néfertari : Aïeule d'Hatchepsout. Épouse d'Ahmosis.

Ahmose : Mère d'Hatchepsout.

Amen : Grand prêtre sous Hatchepsout. Frère de son conseiller Senmout.

Amenmen : Général de Thoutmosis III.

Aménophis II : Fils de Méryrêt-Hatchepsout II et de Thoutmosis III.

Amenpafer : Fils de Thémis.

Bès : Paysan thébain ayant comploté contre Thoutmosis Ier.

Djéhouty : Chef de chantier ayant construit le temple d'Hatchepsout à Deir el-Bahari, le Djeser Djeserou.

Hapousneb : Grand prêtre de Karnak. Fidèle à Hatchepsout.

Ialou : Conseiller de Méryrêt-Hatchepsout II.

Iset : Mère de Thoutmosis III. Fille du harem de Thoutmosis II.

Ishtariou : Fils de Bêlis et du Thébain Séti.

Kalourê : Soldat égyptien en poste à Meggido.

Kariou : Général de Thoutmosis III.

Kertari : Favorite de Thoutmosis III.

Menkheperrêsen : Ami de Thoutmosis III, Grand prêtre de Karnak.

Méryrêt-Hatchepsout II : Seconde fille d'Hatchepsout et de Thoutmosis II. Épouse de Thoutmosis III.

Moutnéfret : Première épouse de Thoutmosis Ier. Grand-mère de Thoutmosis III.

Nibouy : Grand prêtre d'Abydos.

Oazer : Vizir.

Paperis : Compagne de Kertari au harem du Fayoum.

Pathmès : Cocher d'Hatchepsout, puis de Thoutmosis III.

Pennethbet : Général sous Hatchepsout. Maître de Thoutmosis III.

Petrou : Conseiller de Djéhouty.

Poumrê : Architecte et second prophète d'Amon.

Ramnose : Responsable du harem du Fayoum.

Rekhmirê : Vizir. Ami de Thoutmosis III. Haut fonctionnaire possédant l'une des plus belles tombes de la Vallée des nobles.

Rêthot : Fils de Kertari et de Thoutmosis III.

Sheribu : Fille du Thébain Kay et de Thémis.

Sini : Vice-roi du Sud.

Sobek : Fille de Ypou, nourrice de Thoutmosis III. Peut-être fut-elle la première épouse de Thoutmosis III.

Sobkit : Confidente de Méryrêt.

Thémis : Femme de Kay. Mère de Sheribu.

Thoutmosis Ier : Père d'Hatchepsout et grand-père de Thoutmosis III.

Tianou : Scribe ami de Thoutmosis III.

Ypou : Nourrice de Thoutmosis III.

Remerciements

Je tiens à remercier M. Hosni Moubarak, président de la République arabe d'Égypte ; M. Farouk Hosni, ministre de la Culture ; M. Mandouh el Beltagui ; M. Nabil Osman, pour leur accueil extrêmement chaleureux en Égypte ainsi que M. Gaballah Ali Gaballah, directeur du Conseil suprême des Antiquités d'Égypte qui facilite mon travail en Égypte ; M. Sabry Abd El Aziz Khater, directeur général des Antiquités de Louxor ; M. Aly Maher el Sayed, ambassadeur de la République arabe d'Égypte ; mon ami Mohamed El-Bialy, directeur des Antiquités de Thèbes-Ouest ; M. Salah El-Naggar ; M. Mohammed A. Nasr, directeur des Antiquités au musée de Louxor ; M. Ossama A. W. Abdel Meguid, directeur du musée de la Nubie à Assouan ; M. Fahim Rayan ; M. Ahmed Zaki, représentant en France d'Egyptair ; Mme Hoda Naguib pour son soutien ; Mme Sonia Guirguis, directrice de l'Office du tourisme égyptien ; M. Ali El-Kadi, conseiller de presse à l'ambassade de la République arabe d'Égypte ; MM. Paul Dubrule et Gérard Pélisson ; M. Jean-Robert Reznick, responsable du pôle Loisirs-Accor ; Mmes Suzanne Matsakis et Catherine Magnien du groupe Accor ; Mme Dominique

Beck du Winter Palace de Louxor ; M. Hani Helal, conseiller culturel près l'ambassade de la République arabe d'Égypte ; M. Castas Papageorgiou ; M. Dimitri Démétriou, directeur de l'Office du tourisme de Chypre ; M. Doros Georgiadès ; Mme Orphanidou ; M. Alain Khoury pour sa fidèle attention ; M. Franciszek Pawlicki, directeur de la Mission polonaise à Deir el-Bahari ; Mme Anna Iliokratidou, directrice de l'Office du tourisme hellénique ; M. Nicolas Vassiliou, directeur de Cyprus Airways en France.

Je tiens aussi à remercier chaleureusement pour leur accueil M. Michel Baud du Old Cataract d'Assouan, M. Antoine M. Lhuguenot du Old Cataract d'Assouan et M. Denis Carta du Sofitel Cairo Maadi et du Winter Palace de Louxor ; M. Patrick Moisan, directeur du groupe Accor au Liban ; M. Yves Demptos du Palm Beach de Beyrouth ; M. Frangos et Mme Stella Stavrides de l'Hôtel St-Raphaël de Limassol à Chypre.

Sur les traces de Thoutmosis III
avec Accor au Liban

L'hôtellerie de loisirs Accor et les marques Coralia et Thalassa, associées aux différentes marques hôtelières du groupe, Sofitel, Novotel, Mercure et Ibis, ainsi qu'Accor Tour et Frantour, les voyagistes du groupe, ont toujours adjoint à la découverte d'une destination une approche complète de sa culture.

Accor est un véritable partenaire de l'activité culturelle des pays où il est implanté. Que ce soit pour des opérations artistiques ou des actions de valorisation du patrimoine, Accor, et tout particulièrement l'hôtellerie de loisirs du groupe, participent étroitement aux actions menées par les pays dans la mise en valeur de leur culture.

À l'occasion de la parution aux éditions Michel Lafon de la trilogie *Thoutmosis III* de Violaine Vanoyeke, Accor vous entraîne sur les traces de ce pharaon égyptien qui régna à une époque où son pouvoir s'étendait sur un pays qui englobait le Liban actuel.

Accor et ses partenaires vous proposent cinq étapes au Liban.

À Beyrouth :
- → le Sofitel Gabriel, une ambiance raffinée au cœur de la ville ;
- → le Sofitel Palm Beach, face à la mer, le long de la célèbre Corniche ;

301

→ le Mercure Berkeley, au centre de la capitale, dans le quartier animé de Hamra ;
→ le célèbre et luxueux hôtel Albergo.

À Jounieh :
→ le Mercure Beverly Beach, en bord de mer, une étape idéale vers Byblos et les sites du nord.

Accor, présent dans 140 pays, avec 125 000 collaborateurs, est leader européen et groupe mondial dans l'univers du voyage, du tourisme et des services aux entreprises, avec deux grands métiers internationaux :
• l'hôtellerie (plus de 3 300 hôtels) et les agences de voyage, la restauration, les casinos ;
• les services (cartes et tickets) avec Accor Corporate Services.

Direction littéraire
Huguette Maure

assistée de
Marie Dreyfuss
Patrice Schuber

Crédit photographique :
Engerer - Vanoyeke